NO BURACO

A marca FSC é a garantia de que a madeira utilizada na fabricação do papel deste livro provém de florestas que foram gerenciadas de maneira ambientalmente correta, socialmente justa e economicamente viável, além de outras fontes de origem controlada.

TONY BELLOTTO

No buraco

Companhia Das Letras

Copyright © 2010 by Tony Bellotto

Grafia atualizada segundo o Acordo Ortográfico da Língua Portuguesa de 1990, que entrou em vigor no Brasil em 2009.

Capa
Retina_78

Preparação
Leny Cordeiro

Revisão
Pedro Borges
Ana Maria Barbosa

Os personagens e as situações desta obra são reais apenas no universo da ficção; não se referem a pessoas e fatos concretos, e sobre eles não emitem opinião.

Dados Internacionais de Catalogação na Publicação (CIP)
(Câmara Brasileira do Livro, SP, Brasil)

Bellotto, Tony
    No buraco / Tony Bellotto. — São Paulo : Companhia das Letras, 2010.

    ISBN 978-85-359-1735-2

    1. Ficção brasileira I. Título.

10-08387   CDD-869.93

Índice para catálogo sistemático:
1. Ficção : Literatura brasileira   869.93

[2010]
Todos os direitos desta edição reservados à
EDITORA SCHWARCZ LTDA.
Rua Bandeira Paulista 702 cj. 32
04532-002 — São Paulo — SP
Telefone (11) 3707-3500
Fax (11) 3707-3501
www.companhiadasletras.com.br

Para Malu Mader

Tudo isto aconteceu, mais ou menos.
Kurt Vonnegut, *Matadouro* 5

A QUESTÃO DAS BOCETAS

1.

"Um dos meus problemas com a literatura é a questão das bocetas."
É isso mesmo? Estou ouvindo coisas?
"Boceta grafada com o não faz jus ao substantivo."
Onde estou? Na praia de Ipanema com o rosto enterrado na areia. Acabo de acordar de uma soneca, despertado por frases intrigantes sobre a Questão das Bocetas.
"Buceta é com *u*!", afirma o homem.
Permaneço de olhos fechados, como se eu não existisse.
"Buceta!", ele repete exaltado.
Sotaque mineiro. Goiano, talvez. Posso imaginar a figura, professor universitário. Ou crítico literário. Alguma coisa em *ário*. Rabo de cavalo, brinquinho na orelha, sunga preta, barriguinha branca, óculos de aro vermelho, ideograma do *I ching* tatuado no bumbum. O tipo de cara que chama a própria bunda de *bumbum*, além de eventualmente tatuá-la. Passando o final de semana no Rio a divagar sobre bocetas e bucetas na praia de Ipanema, xavecando alguma garota — ou garoto — ao lado.

Não ouço o interlocutor emitir opinião. Se é que dá pra emitir opinião a respeito.

"O *o* não carrega o calor, a umidade e os aromas do *u*", ele insiste. "Não nas bocetas. Desconfio de escritores que escrevem *boceta*."

Meu Deus. Preciso ouvir isso? Devia ter ficado no hostal em que estou hospedado. Mas cavar um buraco na areia é sem dúvida uma forma digna — embora pouco imaginativa — de atingir alguma profundidade.

"Convenhamos, sem uma boa buceta não se faz literatura", ele conclui, como alguém que espreme limão-siciliano numa ostra. "Sem uma prexeca não se escreve. Rá, rá."

Prexeca? Por pouco não saio da tumba e interpelo o terrorista verbal com a classe e a arrogância de um rei espanhol: *Por que não te calas?*

Sou um ex-guitarrista de rock, não vejo por que me aborrecer com literatura. Não na praia. E, definitivamente, não da maneira em que me encontro. Não sinto ânimo para sair da catacumba. Abrir os olhos exigiria esforço e me condenaria a fazer parte da paisagem. Antes estivesse atochado numa bucetinha oriental, aconchegado no calor, na umidade e nos aromas do *u*.

E sem areia no calção.

Vozes se sobrepõem às falas do dissertador semântico-ginecológico. Não distingo mais o significado das palavras. Se é que têm algum. Agora ele profere alguma coisa em *ães*. Guimarães, acho.

Ao fundo o mar parece dizer num timbre de órgão Hammond: Lien...

Sim, a Lien. Tinha me esquecido dela durante a soneca. Navegadores portugueses do século xv chamavam o oceano Atlântico de Mar Tenebroso. As ondas que me sussurram o nome sutilmente enigmático — *Lien* — não soam especialmente assustadoras. Presumo que o verdadeiro Mar Tenebroso está contido no quilo e quatrocentos que pesa em média um cérebro humano.

Aqui estou, portanto, uma avestruz filosófica com a cabeça enterrada na areia. Se me perguntarem qual a primeira coisa que farei ao sair do buraco, direi: *procurar a Lien*.

Li-en: a ponta da língua descendo em dois saltos pelo céu da boca para tropeçar de leve, no segundo, contra os dentes. Li-en, acrescentarei, empolado — parodiando Nabokov —, talvez contaminado pelas arguições do *scholar* do bumbum tatuado, numa tentativa de impressionar meu interlocutor com uma erudição fora de hora.

O problema é: ninguém vai me perguntar nada.

Estou sozinho. Na melhor das hipóteses, *que horas são?* E eu nem tenho relógio. Sempre existe a possibilidade de uma balzacona bem passada me reconhecer: *é você?* O eterno constrangimento do para sempre guitarrista da *one hit band*. Tem expressões que soam tão melhor em inglês. *Banda de um sucesso só.* Não dá pra falar uma coisa assim.

2.

Conheci Lien numa das lojinhas de discos de rock das galerias do centro de São Paulo, reduto de velhos e novos roqueiros, onde sempre encontro alguma coisa interessante. Lien — filha de coreanos, vendedora de uma loja chamada Combat Records e com idade para ser minha filha caçula — gosta de dizer que seu nome, em coreano, significa *lírio-d'água*. Então ela ri, com seus *piercings*, cabelo espetado, coleira no pescoço, camiseta de banda obscura de nome impronunciável e completa: *lírio do campo minado*. Adoro o senso de humor da Lien. É um humor genuíno, como tudo nela. Lien é uma roqueira *nerd* habilidosa em navegar na internet. Isso me fascina, já que sou uma múmia pré-internet.

Passo de vez em quando pelas lojas e sebos das galerias do centro. Apesar de não ser mais ligado à música, gosto de jogar conversa fora com músicos e gente que ainda cultua discos, de preferência velhos discos de vinil, daqueles que se podem admirar a capa e ler as letras no encarte sem o auxílio de óculos ou lentes de aumento. Gente que chama discos de *álbuns* e que discorre — e às vezes discute até a morte — sobre os dez melhores discos de rock de todos os tempos. *Elvis Presley* (o primeiro do Elvis), *Sargent Pepper's Lonely Hearts Club Band*, *Exile on Main Street*, *Who's next?*, *Led Zeppelin IV*, *Are you experienced?*, *Catch a fire*, *London calling*, *Appetite for destruction* e *Nevermind*, por exemplo, e essa não é sequer a *minha* lista. É uma lista hipotética, talvez política e cronologicamente correta demais para o meu gosto. Por exemplo: esqueci de incluir na lista *Paranoid*, do Black Sabbath, e isso seria motivo suficiente para que uma *fatwa* fosse decretada contra mim nos altos escalões das galerias roqueiras do centro de São Paulo. E nem sequer citei — heresia das heresias — o *Never mind the bullocks*, do Sex Pistols.

Para que se tenha uma ideia.

Foi assim que conheci a Lien, por acaso. Fuçava vinis na Combat Records e de repente tropecei num LP do Nova Embalagem. Ou ele tropeçou em mim. Encontrar um LP já é em si uma façanha, mas um LP do Nova Embalagem? Chega a ser ridículo. Eu dera de cara com a seção Bandas Brasileiras Anos 80 e olhava as capas dos discos de forma mecânica e desinteressada. Havia raridades ali, mas a maior parte do acervo não passava de lixo. Todas aquelas bandas ridículas dos anos 80. Cortes de cabelo constrangedores, roupas pavorosas, poses forçadas, emulações bizarras de bandas inglesas, americanas e até australianas. Um horror. Mas o Nova Embalagem era tão perfeitamente representativo daquilo tudo que comecei a chorar. Não sei o que me deu. Peguei o LP e chorei. Sei que parece ridículo, mas foi o que aconteceu. Algumas lágrimas caíram sobre a horrível capa do disco. Como se tivesse encontrado um espelho depois de anos sem saber como andava minha aparência e me deparasse subitamente com a imagem de um monstro. Era um choro de desespero, de terror, de pesadelo, mas Lien achou poético. Saiu do balcão, me ofereceu uma caixa de lenços de papel e perguntou: "Você gosta do Nova Embalagem?".

"Eu odeio o Nova Embalagem! Eu odeio o rock brasileiro dos anos 80!", respondi chorando.

Foi assim que conheci a Lien.

3.

"Tava tão bonito lá em Terê. Eu realmente não sou do mar. Sou da montanha".
 O tom da voz é grave. Charmosa. Já com certa idade, imagino. Comprimindo na areia alguns litrinhos arfantes de silicone morno. O tipo da balzaca que me reconhece. E me constrange. E cava alguns centímetros a mais no fosso da minha ruína. Aquele em que estou metido, sentidos literal e figurado. Não é assim que se vivencia a literatura? Passando pelas experiências? Vivendo? O que faria Jack London no meu lugar? Enfiaria a cabeça na areia de Ipanema, claro.
 Avestruzes, as grandes literatas do reino animal.
 "O mar me drena as energias. Meu tesão diminui, acredita? Todo mundo diz a praia isso, a praia aquilo. Eu brocho", prossegue a adorável Balzaca da voz grossa. Pressinto uma ereção plena, meu pau como uma enguia obstinada — ou uma britadeira desgovernada — a se desenrolar sob a sunga em busca de placas tectônicas.

"A montanha, menina, me revigora", afirma a Balza. "Vamos dar um mergulho? Lúcia?"
Silêncio.
"Lúcia!", insiste. "Tá dormindo?"
Silêncio. O burburinho das outras vozes. *Sanduíche natural!*
"Lúcia!"

4.

Houve uma Lúcia uma vez. Falante. Foi em Minas, bem no comecinho da carreira. Falante até demais. Deitada de costas, nua, com os olhos fechados. No quarto do hotel. Acho que o nome dela era Lúcia. Quase certeza.

"Vem", sussurrou.

Cinco minutos antes ela tinha confessado que adorava gozar assim, de costas, batendo uma siririca enquanto um cara deslizava pra dentro dela. Eu era o cara.

"Trem bão..."

A bunda sorria pra mim como aquelas carinhas amarelas idiotas que te desejam *have a nice day* nos lugares mais improváveis. Alguém esmurrou a porta de repente.

"Ei! Abre aí!", berrou o sujeito do lado de fora.

Lúcia abriu os olhos. É, o nome dela era Lúcia, certeza.

"Esperando alguém?", ela perguntou baixinho.

"Não, e você?"

"Só o teu pau entrar todim, até o fundo."

Yeah.
"Abre!", insistiu o inoportuno.
"Quem deve *de* ser?", sussurrou Lúcia, um pouco nervosa, exuberando toda a magnitude de sua mineirice.
"Sei lá! Teu namorado?"
"Magina. Se fosse, derrubava logo a porta."
Uau.
"Quem é?", gritei.
O Corta-Foda era um dos organizadores do festival. Pedi que voltasse noutra hora, mas ele ameaçou derrubar a porta. Pelo jeito, derrubar a porta era costume por ali. Não teve jogo: saí da Lúcia, abri a porta. O Corta-Foda entrou e Lúcia foi embora de camiseta e calcinha, vestindo a calça no corredor.
"Desculpe chegar assim, mas *vocês* têm que me ajudar!", ele disse.
"*Vocês* quem, cara-pálida? Estou sozinho aqui. Você acaba de espantar minha companhia!"
"Tchau!", Lúcia gritou de longe, entrando no elevador. "Bom show procês!"
Senti uma raivinha no tom da voz dela. *Coitus interruptus* é uma merda.
"Você e o seu parceiro têm que me ajudar!", implorou o Corta-Foda.
"Senta aí", eu disse.
"Você não vai se vestir?"
Bem lembrado. Não é o tipo de conversa pra você levar nu, com a pilastra semiflácida balangando como uma verdade inconveniente.
"A Darkdream não apareceu."
"Calma", eu disse, vestindo a calça. "Você não viu o Rosemberg na recepção?"
"Quem?"

"O meu parceiro."
"Não sei como é a cara dele."
Foi mal. Algum dia a fama nos livraria desse tipo de constrangimento. Liguei para a recepção e pedi para o Rosemberg subir correndo.
"A Darkdream não apareceu!", repetiu o Corta-Foda, desesperado, como se eu fosse o muro das lamentações.
"E eu com isso?", perguntei, enquanto vestia a camiseta.
"Vocês vão ter que ser os *head-liners*!"
Darkdream era uma banda mineira ridícula de *heavy metal* farofa. Os caras tinham saído de Belo Horizonte mas não chegaram a Itajubá, onde o Corta-Foda, na verdade um estudante de engenharia, organizava um precário festival universitário de rock.
"Não vem com essa conversa de *head-liners*. O teu festival é a coisa mais amadora que eu já vi na vida".
"Olha quem fala. Quem você pensa que é? O Bob Dylan?"
Eu pensava.
"Onde estão aqueles palhaços do Darkdream?", perguntei.
"Sei lá. Se perderam na estrada. Ou perceberam que não têm jeito pro negócio e resolveram desfazer a banda no meio do caminho. Não importa. Vocês vão ser a atração principal da noite."
"Nós fomos contratados pra abrir o show deles."
"Agora vão ter de abrir e fechar o show de vocês mesmos."
Rosemberg entrou no quarto. Ele tinha cabelos compridos, sedosos e cacheados, como um anjo que evitasse o barbeiro, mas ia ficar careca antes dos vinte e três, o que é uma tragédia para quem sonha se tornar um ídolo de rock. Nossa sina era virar uma paródia fracassada e anacrônica de Simon & Garfunkel.
"Que comoção é essa?", perguntou Rosemberg.
O Corta-Foda repetiu a história.

"As pessoas compraram ingresso pra ver o show do Darkdream. Ninguém conhece a nossa dupla!", argumentou Rosemberg, depois de ouvir a lenga-lenga.

"Agora vão conhecer."

"E se a gente também perceber que não tem jeito pro negócio e resolver desistir de tudo?", perguntei. Aliás, aquela não era má ideia.

"Daí eu vou ter que chamar o pessoal do Centro Acadêmico pra dar uma surra em vocês dois. Zanquis e Rosemberg", disparou, em tom reflexivo. "Uma dupla tão promissora."

Nada como um argumento convincente.

"Você estava falando sério sobre a gente não ter jeito pro negócio e desistir de tudo?", perguntou Rosemberg.

"Naquela hora, não. Mas agora..."

Estávamos no quarto, bebendo cerveja. Nosso show tinha sido um dos mais estrondosos fracassos de toda a história do rock ocidental.

"Babaquice, cara. Você não tem fleuma."

"Deu pra falar bonito? Fleuma? Quem você pensa que é? O Rimbaud?"

Ele pensava.

"Não exagera."

"Vá se foder, Rosemberg."

"Já me fodi. Eu e você. A gente tem que ir pro Rio, cara. As gravadoras estão todas lá. Os músicos também."

"Esquece esse negócio de Rio de Janeiro. Lá é bom pra pegar mulher. Tem muito músico bom em São Paulo."

"Os músicos relevantes moram no Rio."

"Músico relevante mora em Nova York, Los Angeles, Londres."

"O Bob Marley morava em Kingston."
"Mas só ficou famoso depois que foi pra Londres."
"O Carlos Gomes nasceu em Campinas."
"O que o Carlos Gomes tem a ver com a conversa, Rosemberg?"
"Eu nasci em Campinas."
Achei que era hora de cortar o papo. Nem me dei ao trabalho de dizer que o Carlos Gomes também só ficou famoso depois que foi para Milão. Megalomania tem limite.
"Tã-tãã! Tã-rã-rãã...", cantarolei a introdução instrumental de *O guarani*, senha imortal que anuncia a hora de desligar o rádio quando começa a "Voz do Brasil".
"Tã-tãã! Tã-rã-rãã...", repeti, agora com mais ênfase, gritando na orelha dele. O tratamento de choque determinou o fim do delírio do Rosemberg.
"Passa a cerveja", ele disse, aparentemente recuperado.
Rosemberg deu um longo e reflexivo gole na cerveja e fez a cara mais idiota do mundo. Permaneceu alguns segundos olhando pra mim como se fosse um jumento catatônico e depois arrotou. Um arroto retumbante, quase épico. Bem Carlos Gomes. E então o telefone começou a tocar.
"Ninguém está interessado numa dupla de rock, Rosemberg. Dupla, no Brasil, só sertaneja."
"Você não vai atender?", ele perguntou.
"Por que você não atende?"
"Porque o telefone está do teu lado."
Atendi.
"Oi, é a Lúcia."
"Quem?"
"A Lúcia! Lembra de mim não? Hoje à tarde, no quarto?"
"Oi, Lúcia, tudo bem?"
"Médio."

"Algum problema?"

"Meu namorado vai te pegar."

"Como assim?"

"Meu namorado vai te bater. Te dar porrada."

"Por quê?"

"Uai, por quê? Cê me comeu hoje à tarde! Cê tá em Minas, cara, esqueceu?"

"Como ele sabe que eu te comi? Aliás, sejamos sinceros, eu nem comi. O Corta-Foda chegou bem na hora em que eu acionava meu penetrômetro."

"Dá na mesma. Euzinha peladinha da silva na tua cama? De costas, inda por cima? Quer dizer, ainda por baixo! Rá, rá. Vai explicar. Aqui em Minas é assim. Não tem esse negócio de... comé que é? Penetrômetro. Não sei como é no Rio."

"Eu moro em São Paulo."

"Achei que cês artistas viviam tudo no Rio."

Sonsa que só ela, a mineirola débil mental.

"Como ele sabe que eu te comi?"

"Contei pra ele."

"Lúcia, tem coisas que a gente não conta pro namorado. Nem no Rio nem em São Paulo. Muito menos em Minas."

"Eu sei. Mas ele falou mal de você durante o show."

"O que ele falou?"

"Que você e o teu parceiro eram desafinados e gays. Então eu disse que desafinados cês eram mesmo, não dava pra negar, mas gay não, aí eu contei que cê me comeu à tarde, quando eu fui no hotel atrás do autógrafo dos caras do Darkdream. Nem sei o que me deu."

"Você falou assim: *ele me comeu hoje à tarde?*"

"Não, eu falei que a gente tinha transado."

"E ele?"

"Uai, ficou puto."

24

"Com você?"
"Não. Ele me perdoou porque eu disse que fui seduzida. Compreendeu minha fraqueza. Ele ficou puto foi cocê!"
"Ele não vai perdoar a minha fraqueza?"
"Acho que não. É diferente, né? Chamou uns amigos pra dar um cacete nocês. Disse que cês precisam aprender uma lição."
"Engraçado, todo mundo vive me dizendo isso. Que lição é essa que ninguém consegue me explicar?"
"Sei lá. Pra mim, a única lição que cê precisa é de canto. Você e o teu parceiro. Olha, não diz pro meu namorado que eu te avisei, tá? Ele é muito troglô e pode querer me pegar depois. Tô fora. Quer um conselho?"
"Se for de graça..."
"Se manda."

Acordei de repente, sem saber onde estava. Reparei que dormia vestido e nem a bota eu tinha tirado. Olhei pra cama ao lado, mas não vi o Rosemberg. Onde é que o psicopata tinha se metido? Algumas horas antes saíramos correndo de Itajubá no Chevette do Rosemberg, antes que o namorado incompreensivo da Lúcia aparecesse com seus amiguinhos vingativos. Não sei se foram as cervejas, ou o desejo do Rosemberg de mudar para o Rio, ou a má sinalização, ou a noite escura sem lua, ou as vaias do público *heavy metal*, ou a vontade de fugir dali correndo e esquecer tudo que tinha acontecido, ou a sensação de que éramos um fracasso, ou a saudade que eu sentia dos meus pais toda vez que viajava — que indicava uma imaturidade que eu não queria admitir —, ou minha incapacidade de me relacionar com uma mulher — sempre mais interessado na próxima conquista —, ou a culpa que me atormentava por não responder às cartas que meu irmão me enviava toda semana dos Estados Unidos, ou a pena que sentia do meu cachorro quando saía de casa, não sei, mas o fato é que em vez de pegarmos o caminho para São Paulo, pegamos a via Dutra na direção do Rio de Janeiro. E só me toquei disso quando, perto de Itatiaia, o Rosemberg cochilou no volante e o Chevette derrapou no acostamento e acabou caindo dentro de uma vala. Por sorte tinha um hotel ao lado, Hotel Tyll, quase na beira da estrada.

Na recepção, um louro branquelo nos atendeu com cara de sono. Optamos por um quarto simples com duas camas de solteiro. Nosso cachê, afinal, não nos permitia frequentar as luxuosas suítes que destruiríamos algum dia. No quarto, desmaiei. O Rosemberg, pelo jeito, não. Esfreguei os olhos, sentei na cama, me certifiquei de que ele não estava por ali e resolvi procurar o maluco. Cada Simon tem o Garfunkel que merece. Saí da cama, ainda estava escuro. Dava para ouvir os sons dos carros passando pela Dutra. Abri a porta do quarto, não vi ninguém, só um corredor mal iluminado e um tapete vermelho. Ninguém no banheiro macabro no final do corredor. Caminhei até a escadaria que conduzia ao térreo e vi o Rosemberg parado num degrau, debruçado no corrimão, olhando atento para a parede.

"Ei", sussurrei, com medo de acordar o louro branquelo que cochilava no balcão da recepção.

Rosemberg levou um susto, mas disfarçou.

"Cara, você não vai acreditar nisso. Chega aí!"

Fui descendo a escada: "Algum problema?".

A luz era fraca, mas deu pra notar a parede cheia de molduras de textos em alemão e desenhos de suásticas e outros símbolos nazistas. Descemos a escada e percorremos o corredor do andar térreo. Quadros e quadros com textos suspeitos e mais suásticas.

"*Heil* Hitler!", eu disse.

"Vamos sumir daqui", disse o Rosemberg.

"Agora? Vamos dormir, amanhã a gente se manda."
Voltamos pro quarto. Rosemberg, por via das dúvidas — seus avós paternos tinham fugido do gueto de Varsóvia —, encostou uma poltrona na porta caso um comando da ss resolvesse fazer uma inspeção de surpresa.

Na manhã seguinte acordamos com fome e resolvemos tomar café no hotel antes de ir embora. A mesa estava cheia de geleias, tortas alemãs, pães de centeio, rosbifes, presuntos e salsichas. Não me lembro se tinha uma musiquinha folclórica alemã tocando ao fundo, mas acho que sim. Uma alemãzinha sorridente e rechonchuda nos servia com o maior empenho. Dei uma piscada pra ela.

"Corta a onda, Don Juan!", disse Rosemberg. "Você sofre de priapismo? Desse jeito morre antes dos trinta."

"Só se for de overdose, numa banheira de hotel em Paris."

"Não, Jim Morrison. Teo Zanquis vai morrer assassinado por um namorado ciumento. Só que num hotelzinho de merda no interior de Minas. Qui! Qui! Qui! Qui!..."

Demorei pra entender que Rosemberg cantarolava a frase dos violinos na trilha sonora de *Psicose*, enquanto estocava o ar com uma faca lambuzada de geleia, numa imitação canhestra do assassino na cena do chuveiro. Olhei para o lado. Na sala do café da manhã só havia um velho de óculos e cabelo totalmente grisalho que lia jornal. Enquanto o Rosemberg ainda insistia com o ridículo "Qui! Qui! Qui! Qui!", o velho olhou pra ele com cara de "cala a boca, pentelho, não vê que estou lendo?". Rosemberg ficou quieto e retribuiu o olhar com um risinho amarelo. Depois de uma última fatia de pão de centeio com geleia de morango, decidimos ir embora. O Rosemberg se despediu do velho com um aceno — que não teve resposta —, eu me despedi da garçonete com um beijo no rosto. As bochechas dela ficaram mais vermelhas que a geleia.

O velho continuou concentrado no jornal, como se estivesse sozinho no mundo.

Em casa, tentando fechar a letra de uma canção, empaquei numa rima. É uma merda quando você procura uma palavra que termine em *ui*, mas só encontra palavras que terminam em *ê* ou *er*. Pura rotina: o dia a dia de um compositor é feito de sofrimento e angústia. Os versos vinham assim: "Quando você vem/ eu fui/ e você não encontra ninguém/ Quando eu fico sem", e aí eu tinha empacado. Pensei em *você*, ou *querer*, mas eu precisava de uma palavra que terminasse em *ui* pra rimar com o *eu fui* do verso anterior. E eu não conseguia pensar numa palavra em *ui*. Ui! Que merda. Naquele tempo eu não sabia que existiam dicionários de rima. Mas o refrão já estava pronto. Era assim: "Táxi! Toque pro êxtase, toque pro êxtase, toque pro êxtase". Era um belo refrão, à espera de versos incríveis que eu não conseguia criar. Eu tentava compor numa mistura de Lou Reed com Roberto Carlos, mas era difícil. O interfone tocou, o Rosemberg pedia para eu abrir a porta do prédio. Apertei o botão que liberava a entrada da portaria, e meu cachorro, deitado no chão do banheiro, começou a latir e a balançar o rabo. Rosemberg chegou com um jornal na mão, ofegante por ter vencido em menos de vinte segundos os três lances de escada que separavam meu apê do térreo. O prédio era antigo e provavelmente tinha sido construído antes da invenção do elevador.

"Olha isso!"

Vi a foto de um velho algemado amparado por dois policiais.

"Lembra dele?"
Eu não lembrava.
"Au! Au!", latiu meu cachorro, que não tinha nome. Era só cachorro mesmo.
"O velho que estava tomando café no Hotel Tyll, em Itatiaia, lembra?"
Olhei com mais atenção para a matéria no jornal. Agora eu lembrava.

Gustav Franz Wagner, um velho cujo passatempo predileto era contemplar as estrelas do céu, foi preso em um sítio num vale montanhoso e frio de Atibaia, a sessenta e cinco quilômetros de São Paulo. Esse homem, na verdade um ex-carrasco nazista responsável direto pela morte de trezentas mil pessoas nos campos de concentração de Treblinka e Sobibor, viveu tranquilamente no Brasil por quase trinta anos. Wagner era conhecido por suas vítimas como Besta Humana e Carniceiro de Sobibor, devido à crueldade com que tratava os prisioneiros. Sua prisão foi possível graças a uma foto encontrada no Hotel Tyll, depois que a Polícia Federal descobriu que lá se reuniram em abril simpatizantes nazistas para comemorar o octagésimo nono aniversário de Adolf Hitler. Essa foto chegou a Viena, onde Simon Wiesenthal, o Caçador de Nazistas, reconheceu o Carrasco de Treblinka. Com a ajuda de Stanisław Szmajwer, judeu polonês que havia passado um ano e meio em Sobibor, a polícia montou um ardil para localizar Wagner: fez publicar num jornal uma foto de outro oficial nazista com os dizeres "Franz Wagner, o Carniceiro de Sobibor". Wagner caiu na armadilha e apresentou-se à polícia para provar que não era ele o homem da foto. Szmajwer o reconheceu e acusou-o de ser um "assassino sádico". Depois de preso, Wagner tentou se suicidar ingerindo os cacos de vidro das lentes de seus óculos de grau. Mas não morreu.

"Au! Au!", repetiu meu cachorro. Eu não consegui dizer nada. Minha música, de repente, tinha perdido todo o sentido.

Faz anos que não sei do Rosemberg.

A última vez que soube dele, era o curador careca de uma galeria de arte, separado, pai de dois marmanjos, o Allen e o William, assim nomeados em homenagem a Allen Ginsberg e William Burroughs.

Sim, o Rosemberg ficou careca. Acho que foi por isso que desistiu da carreira musical.

5.

Presto atenção, toda a minha acuidade auditiva se direciona agora para o oceano Atlântico. Segundo a última audiometria, essa acuidade — eta palavrinha besta — já não anda tão confiável. O que quer dizer que eu não saberia discernir, de ouvido, a diferença entre o Atlântico e o Pacífico. Mas ainda consigo diferenciar um acorde do Pete Townshend de um arpejo do The Edge, o que prova que nem tudo está perdido. *Tinitus* é o nome do problema, diagnosticou o otorrino. Achei *Tinitus* poético — melhor que *otorrinolaringologista*, por exemplo —, daria um bom nome de banda, e venho convivendo pacificamente com ele desde então. Uma chiadeira de vez em quando é nada perto dos estupros sonoros que minhas pregas auditivas sofreram ao longo da vida. Agora sou um surfista auditivo, uma nova modalidade esportiva. A última barreira foi transposta. Teo Tinitus, o surfista vermelho — afinal já devo estar vermelho, ou alguém pensa que eu tive o cuidado de passar protetor solar antes de vir à praia? —, surfando as ondas sonoras do mar. Tentando, qual um especialista da Unicamp, desvendar o que o mar está querendo

dizer. Se nem Dorival Caymmi conseguiu solucionar tal mistério, não sou eu quem vai.
O mar continua sussurrando: Lien, Lien...
Que poeta miserável me tornei neste buraco escuro.

O calor é intenso, a pele das costas começa a arder e alguma coisa dentro de mim parece queimar. Chego a sentir o cheiro. Isso me faz lembrar do fogo. Foi num inverno, faz uns vinte anos. Vinte e poucos, pra ser exato. Vinte e tantos, o.k. Quase trinta, pra ser sincero. O inverno das mulheres altas. Pernas longas gaúchas, camponesas com cara de modelo. Teve a que tomou chimarrão montada em mim, xota e pica atreladas em pegajosa comunhão, olho no olho e a bomba do chimarrão bombeando na boquinha como um canudo obsceno de prata: Aiô, Silver!
Uma noite, num ponto entre Santa Maria e Pelotas, o motor do ônibus pifou. Fazia muito frio. Estávamos naquele estado pós-show, alguns dormindo, outros ainda excitados, conversando. Havia duas garotas, me lembro, rindo e cheirando cocaína no fundo do ônibus com o Tiago, o outro guitarrista da banda. O Tiago guardava o pau no açucareiro. Duro, pelo jeito. Ele (o Tiago, não o pau) exalava um arzinho safado de menino desprotegido que agradava às mulheres e incitava seus instintos maternais. Esses instintos podem ser muito poderosos e vorazes, como se sabe. As meninas vestiam minissaias que deixavam à mostra pernas branquinhas. O motorista — um gaúcho bigodudo — saiu do ônibus e começou a mexer no motor. Depois de meia hora ficou claro que a situação era irreversível, o motor não voltaria a funcionar. A estrada gelada e vazia não evocava nenhuma metáfora. Não passavam carros e os ossos doíam de frio. Como telefones celulares e localizadores GPS ainda não haviam sido inventados, ficamos isolados naquele pesadelo congelado. Dentro do

ônibus tentamos dormir enrolados nos cobertores, mas o frio era intenso e cobertores tinham a eficácia de lençóis. Bebemos todo o álcool à vista: uísque, cerveja, vinho. Tiago tentou se esquentar nas gaúchas de pernas brancas, mas elas começaram a tremer e não davam mais risada. As perninhas ficaram azuis. O motorista teve a ideia de fazer uma fogueira no acostamento com os pneus sobressalentes, e foi isso que nos manteve aquecidos pela madrugada até o sol raiar. A essa altura o bigode dele parecia raspa de gelo que a gente tira do congelador quando limpa a geladeira.

Por falar nisso, eu não limpo a minha há anos.

6.

1986 foi um ano emblemático para o rock brasileiro. Todas as grandes bandas dos anos 80 lançaram seus trabalhos mais importantes naquele ano. Nós lançamos o *Totem rachado*. Minha banda se chamava Beat-Kamaiurá e é muito provável que você *não* se lembre. Era uma tentativa de unir a coisa indígena brasileira com o cosmopolitismo do rock inglês, se é que isso é possível. Nossa música era onírica, mas pulsante (por que fico tão pedante sempre que me refiro à minha ex-banda? E por que assumo esse ar ridículo como se tivesse acordado de manhã metamorfoseado num crítico da *Folha de S.Paulo?*). Tudo bem, quase ninguém se lembra, não éramos do primeiro time. *Totem rachado* não foi exatamente o que jornalistas afetados definem como "disco seminal". Mas estouramos um hit nas rádios, "Trevas de luz", e fizemos muito sucesso por algum tempo. Fomos capa de revistas, demos entrevistas na televisão, participamos de programas de auditório e viajamos pelo Brasil fazendo shows. Pode procurar na internet.

7.

O negócio com a Lien progrediu daquele primeiro encontro — em que passei a vergonha de me emocionar às lágrimas diante de um LP do Nova Embalagem — para um relacionamento mais consistente. Nos tornamos amigos. Até parece. Como se fosse possível um homem maduro (eu?) no desabrochar — sem trocadilhos, por favor — de seus cinquenta anos ficar amiguinho de uma ninfetoide coreana de dezenove. Me engana que eu gosto. Tudo começou ali mesmo, na Combat Records, eu chorando com o ridículo LP do Nova Embalagem nas mãos e dizendo a ela que eu também era um remanescente daquele período trágico da cultura tupiniquim, os anos 80. Pior, tive de localizar o *Totem rachado*, que, claro, estava ali mofando no escaninho tétrico ao lado da plaquinha Bandas Brasileiras Anos 80, e indicar com o dedo qual daqueles palhaços na foto da capa era eu.
"Este aqui?"
"*Oui.*"
"Jura?"
"Por Deus."

"É o Corto Maltese!", ela gritou como alguém que alcança um orgasmo súbito.

Ai, ai.

Sempre fui fã do Corto Maltese, o marinheiro aventureiro criado em 1967 pelo quadrinista italiano Hugo Pratt. Essa admiração me levou ao equívoco de, nos anos 80, dos píncaros da insensatez juvenil, usar nos shows figurinos inspirados nas roupas do Corto. Hoje em dia quem me vê na capa do *Totem rachado* com aquele ridículo bonezinho de marinheiro pode desenvolver ideias errôneas a meu respeito (e a respeito da minha sexualidade, principalmente). Mas será que alguém ainda vê aquela capa em algum lugar? Bem, a Lien estava vendo. E começou a rir.

"Engraçado", ela disse.

"Super."

Ela largou o disco, correu até uma estante cheia de gibis — que o pessoal hoje gosta de chamar de *graphic novels* — e pegou um deles.

"Eu amo esta história!"

Lien brandia uma aventura clássica do Corto, o *Concerto em "O" menor para harpa e nitroglicerina*. O título da aventura é genial. Adoraria que o Hugo Pratt não tivesse pensado nele antes, para eu poder batizar meu primeiro romance com o mesmo título. *Concerto em "O" menor para harpa e nitroglicerina*. Do caralho. William Burroughs não bolaria um título melhor.

Após folhearmos o gibi do Corto Maltese, Lien e eu percebemos que tínhamos mais referências em comum do que um prosaico e obsoleto LP do Nova Embalagem. Saímos direto da Combat Records para um boteco ali nas galerias. Tomamos cerveja. Lien contou que morava no Cambuci, junto com a mãe, dona Yong, coreana de nascença, e o irmão mais velho, Chang-Ho, já nascido no Brasil. O pai — não entendi o nome — tinha morrido quando Lien era muito pequena.

Apesar de amar o rock'n'roll em todas as suas formas, espécies, gêneros e graus, Lien confessou constrangida não conhecer a Beat-Kamaiurá, minha finada banda, e tampouco o nosso mega-hit oitentista "Trevas de luz". Mas agora ia conhecer, sim. Ainda mais uma banda com um guitarrista que era a *ca-ra* do Corto Maltese.

Desculpei-a, observando que ela deveria ser ainda material genético balançando no saco coreano paterno quando "Trevas de luz" tocou no rádio. Implorei que ela não alimentasse muitas expectativas em relação à qualidade do trabalho, éramos de outra época, em que o rock começava a se profissionalizar no Brasil e as condições técnicas de gravação não eram as melhores, sabe como é, as bandas daquele tempo imitavam sem vergonha na cara as bandas gringas etc. etc. Enfim, o que eu queria dizer para a Lien era: *olha, assim como essa carinha aqui já foi parecida com a do Corto Maltese, e hoje, como você pode comprovar, caminha célere para uma máscara mortuária do Ferreira Gullar, nosso som também envelheceu.*

Depois de algumas cervejas eu não estava mais prestando atenção ao que eu dizia — muito menos ao que ela dizia — e já me concentrava naquele par de peitinhos palpitantes e até que bojudinhos para uma oriental, suando e suingando sob a camisetinha estampada com a foto de uma banda esquisita de *death metal* esloveno da qual não me lembro o nome.

Nos despedimos algumas horas depois, breacos, rindo de tudo. Ela disse: "Quando estiver de bobeira, pinta na Combat pra trocar ideia".

Eu estava precisando era de trocar o óleo. Fui mijar e, quando voltei, ela já tinha se mandado.

8.

Existe uma mitologia a respeito da estrada e das bandas de rock. A estrada como palco de experimentações, revelações, celebrações e visões transcendentes. O precursor da ideia, paradoxalmente, foi um amante de jazz: Jack Kerouac, o escritor americano. Há também a relação mística de roqueiros com hotéis, já que estes (os hotéis), nada mais são do que variantes daquela (a estrada). Foi na banheira de um hotel em Paris que Jim Morrison morreu. Os membros do The Who costumavam destruir quartos de hotel após os shows. O Led Zeppelin organizava orgias antológicas nos hotéis por que passava — é clássica a passagem em que, num hotel, John Bonham, batera do Zeppelin, introduziu um peixe vivo no canal vaginal de uma fã. Sid Vicious, do Sex Pistols, encontrou a namorada, Nancy Spungen, morta a facadas num hotel em Nova York. Há quem acredite que ele mesmo a esfaqueou. John Entwistle, do The Who, morreu gloriosamente aos cinquenta e oito anos depois de cheirar cocaína e trepar com putas num hotel em Las Vegas. Johnny Thunders, guitarrista do New York Dolls, expirou vítima de uma dose fatal de metadona num hotel vagabundo em Nova Orleans. E Chet Baker — você já percebeu que alguns jazzistas são mais rock'n'roll que o mais alucinado dos roqueiros — também deu de cara com a ceifadora ao saltar da janela do quarto de um hotelzinho deprimente em Amsterdã. Não sei se era essa a intenção do Chet ao pular da janela, mas a morte foi tudo o que ele encontrou lá embaixo.

9.

O Hotel Seventeen ficava na rua 17, lado leste, em Manhattan. Uma espelunca incrível, mas era barato e precisávamos economizar grana para o equipamento. Logo que eu e o Lu abrimos a porta do quarto tivemos uma surpresa: só tinha uma cama de casal.

"Nunca dormi com um homem", eu disse pro Lu.

"Sempre tem a primeira vez."

A causa valia o sacrifício; havia guitarras Gibson brilhando e amplificadores Marshall zero-quilômetro à nossa espera nas lojas da rua 48. O banheiro ficava no corredor e a água do chuveiro era gelada. O que era ótimo, pois estávamos em agosto e nem em Manaus eu tinha passado tanto calor. Fui tomar banho e encontrei a namorada do Tiago, Rita, esperando na fila para entrar no banheiro.

"Tem um *junkie* banguela dentro do banheiro", ela disse.

Eu morria de tesão pela Rita, e fiquei olhando o peitinho dela se insinuando pra fora da camisetinha branca. Sempre tive esse problema, uma vontade irresistível de ver as namoradas dos meus amigos peladas. O *junkie* banguela saiu do banheiro. Era um sujeito de uns trinta anos, sem dentes e com a pele enrugada, com uma bandana vermelha amarrada na cabeça e um tigre dentuço tatuado no braço flácido.

"*Hi*", ele disse, deixando à mostra gengivas esbranquiçadas.

"*Hi*", respondi, e ele foi embora mancando de uma perna. Parecia um cara feliz, apesar de fodido. A Rita entrou no banheiro e escutei quando ligou o chuveiro. Fiquei imaginando água escorrendo por aquela pele suadinha, os peitinhos macios, a barriguinha dourada e os pentelhos que, eu podia apostar, eram negros apesar de a Rita ser loura. O Tiago chegou.

"A Rita está no banheiro?"

Fiz que sim. Ele bateu na porta.

"Rita, sou eu, o Tiago. Abre."

Ela abriu a porta e vi pela fresta seu cabelo molhado. Rita estava enrolada na toalha e não deu pra ver muita coisa. Que merda sentir tesão pela namorada do melhor amigo. Tiago entrou, continuei esperando. Uma senhora pálida de camisola azul parou atrás de mim.

"*Good morning!*", ela disse, sorrindo com uma dentadura mal acoplada na boca. Fui atingido no rosto por um bafo de álcool, como se um dragão tivesse arrotado na minha cara.

"*Good morning*", respondi.

"*My name is Dorothy.*"

Outro bafo. Achei que sairia dali com o rosto queimado. Eu disse meu nome e ela reparou no sotaque.

"*Where are you from?*", perguntou.

"Brasil".

"*Oh, Brazil! Xavier Cugat!*", disse, sacudindo os quadris e os braços como se dançasse mambo e tocasse maracas. Que eu soubesse, Xavier Cugat era mexicano, cubano, panamenho, tudo, menos brasileiro.

41

"*Yeah!*", concordei, balançando ao som do mambo imaginário que ela dançava. Rita e Tiago saíram do banheiro.
"Esta é a Dorothy", eu disse. "Ela é fã do Xavier Cugat e pensa que ele é brasileiro."
"Xavier Cugat!", repetiu Dorothy, sem parar de dançar.
Rita e Tiago deram uma risadinha forçada e foram para o quarto. Talvez não soubessem quem era Xavier Cugat, ou não acharam graça. Dorothy aproveitou minha distração e entrou no banheiro na minha frente. Três garotas japonesas com visual punk e maquiagem pesada pararam atrás de mim e ficaram conversando em japonês. Elas falavam alto, pontuando a conversa com risadas e gritinhos histéricos. E então uma quarta japonesa chegou, carregando um estojo de guitarra. Dorothy saiu do banheiro, mas agora estava séria e nem me notou. Foi direto pro quarto. Fiquei olhando a Dorothy e não percebi quando as quatro japonesas com a guitarra também passaram à minha frente e entraram no banheiro. Lá dentro elas continuaram rindo e dando gritinhos. Ouvi o som dos jatos de urina batendo na água da privada. Fiquei imaginando as japonesas peladas fazendo xixi e dando risada.
"Ei!", disse o Lu, da porta do nosso quarto. "Ainda taí, cara?"
Ele estava paramentado como um roqueiro clássico: calça jeans apertada, botas e blusão de couro preto e um lenço no pescoço.
"Marquei, passaram na minha frente. Aonde você vai vestido assim?"
"Comprar equipamento, porra. Não é pra isso que nós viemos até aqui?"
"Lu, você tem noção do calor que está fazendo lá fora?"
"*I'm a rocker, man!*", ele disse, com um ar canastrão de roqueiro de Terceiro Mundo. Ainda bem que não tinha ninguém ouvindo aquela besteira. Nesse instante as japonesas saíram do

banheiro e olharam pro Lu como se ele fosse um dos Três Patetas. Começaram a rir e foram embora falando alto e dando mais gritinhos. "Você está ridículo com essa roupa, Lu. Quando eu sair do banheiro quero te ver sem esse blusão patético, por favor."
Quando saí do banheiro Lu continuava com o blusão patético e estava com a orelha grudada na porta de um quarto. Olhou pra mim e fez sinal para que eu ficasse em silêncio e me aproximasse. "O Tiago e a Rita estão transando", sussurrou. "Vem ouvir." Escutar a Rita gemendo me deixou arrasado. Acho que eu estava apaixonado por ela.

Andamos da rua 17 até a 48, o Lu suado e vermelho como um camarão. Na loja de instrumentos tentamos nos fazer entender, mas os vendedores eram todos guitarristas frustrados e arrogantes. Pedi para experimentar uma Gibson Explorer, mas o sujeito, em vez de me dar a guitarra, começou a tocar ele mesmo. E tocava maravilhosamente bem, com uma técnica de mão esquerda que me deixou vesgo. Ou era a mão direita? As duas. Desfiou alguns solos e *riffs* que fariam o Jeff Beck babar. No Brasil ele seria facilmente o músico de estúdio mais requisitado do século. Quando me ofereceu a guitarra, fiquei com vergonha de tocar na frente dele e disse que tinha desistido da compra. Sempre odiei músicos virtuoses, talvez pelo fato de nunca ter conseguido ser um. Lu e eu ficamos horas na loja, olhando todos aqueles instrumentos brilhantes e sentindo o cheiro de madeira envernizada das guitarras. O Lu acabou se apaixonando por um baixo Fender mas não foi correspondido: o preço estava acima de suas expectativas.

Na hora do almoço andamos até o Central Park e comemos

kebabs com cerveja na carrocinha de um grego que não falava inglês. Depois voltamos a pé até Downtown. Tínhamos ouvido falar de uma loja de guitarras na rua Bleecker, mas nos perdemos e fomos parar na Canal Street, um verdadeiro formigueiro multirracial. A prefeitura devia mudar o nome da rua para Babel Street. Ficamos horas zanzando por ali até eu perceber que meu pé estava cheio de bolhas (estava usando uma botinha apertada, não tinha encontrado uma do meu número na loja, eu decididamente ficava idêntico ao Keith Richards com aquela bota). Resolvemos pegar o metrô até o Village. O metrô parecia uma câmara de gás de Auschwitz. Nunca vi um lugar tão quente na vida. O Lu deve ter perdido uns vinte quilos, só de suor. E que suor. Recendia a vestiário de rúgbi após uma final disputadíssima, com direito à prorrogação. Ainda assim, o Lu não tirou o blusão de couro. Não liguei, todo mundo sabe que baixistas são caras esquizoides. Caso contrário não seriam baixistas, seriam guitarristas, certo?

Paramos no Washington Square para descansar. Havia hippies anacrônicos tocando violão, desocupados jogando xadrez e rastas vendendo maconha. O Lu resolveu comprar uma carinha.

"E se a gente for preso?"

"Aqui? A venda é liberada, está todo mundo fumando."

Compramos um pacotinho de um rasta magro e suado. A quantidade dava para uns três baseados, no máximo. Enrolamos um ali mesmo, o Lu acendeu e percebeu que estava fumando orégano. Tentamos localizar o rasta, mas ele já tinha sumido. Jogamos o resto do orégano fora e voltamos para o hotel.

Era noite, mas as ruas estavam cheias e iluminadas. O calor me fez lembrar de noites de verão em Santos, nas férias. Vi Dorothy sentada na escadaria que levava à porta do hotel, com a mesma camisola azul que vestia de manhã, bebendo gim direto da garrafa. Tinha o olhar frio, como o de um bicho empalhado.

"Xavier Cugat!", eu disse, mas ela não me reconheceu, ou não ligou pra mim.

Decidimos dar uma passada no quarto da Rita e do Tiago. O Tiago nos recebeu de bermuda e a Rita só de calcinha e camiseta. Eles tinham comprado uma garrafa de bolso de uísque escocês e nós ficamos por ali, bebendo e conversando. Eu não conseguia parar de olhar os pelinhos louros da perna da Rita. De repente o Tiago virou pra mim e disse: "Steve Vai é o melhor guitarrista vivo".

Só podia estar me provocando.

"O melhor guitarrista vivo é o Chuck Berry."

"Aquele tarado? Ele não toca, apenas puxa as cordas pra cima e pra baixo. Você não pode confundir bater punheta com tocar guitarra."

O comentário espirituoso arrancou risadinhas do Lu e da Rita. Rá, rá, muito engraçado. A alegria do Tiago, eufórico e ao mesmo tempo relaxado como se tivesse acabado de ejacular, me irritou. Resolvi ir pro meu quarto.

Quando o Lu chegou, eu já estava deitado tentando dormir.

"Você deu muita bandeira", ele disse, enquanto finalmente tirava aquele blusão horrível. Ele jogou o blusão no chão e eu senti o cheiro de couro suado, como a sela de um cavalo que tivesse atravessado o deserto.

"Bandeira de quê? Como eu vou aceitar um sujeito dizer na minha cara que o maior guitarrista vivo é o Steve Vai? Ele não deve ser o maior guitarrista nem do bairro onde mora."

"Foda-se. Não é disso que eu estou falando. Você sabe. A Rita."

"Você acha que o Tiago percebeu?"

"Claro. Mas acho que ele não liga. Aliás, acho que ele gosta."

"E ela?"

"Ela gosta também. Você não notou?"
Aquilo me deixou feliz.
"Uma mulher pode acabar com uma banda", disse o Lu, pelado. Ele puxou o lençol e deitou ao meu lado. "Lembre-se da Yoko Ono."
"Você não vai dormir assim, vai?"
"Assim como?"
"Sem roupa."
"Eu só consigo dormir assim."
"Não do meu lado."
"Faz de conta que eu sou a Rita", ele disse.

Saí da cama e juntei umas roupas no chão. Eu não ia dormir com um cara sem roupa ao meu lado. Não mesmo. O Lu não era a Rita. Deitei no meu colchão improvisado, mas não consegui pegar no sono, pois além dos roncos do Lu, sentia o fedor do blusão de couro. Fiquei pensando na minha infância, quando ia com minha família para a fazenda e andava a cavalo. Comecei a sentir o cheiro do suor dos cavalos, o cheiro do estrume e da terra quando começava a chover na fazenda. O cheiro da terra molhada era bom, mas não conseguiu me fazer dormir.

10.

Sempre acreditei que Roberto e Erasmo têm a música certa para cada momento. Mas deitado na praia com a cara afundada na areia não penso em cantar "Sentado à beira do caminho". Tampouco cogito compor uma canção intitulada "Deitado enterrado até o focinho". O que confirma meu envolvimento cada vez menor com música. Ir à praia sem um I-Pod, um Discman ou até mesmo um obsoleto Walkman seria impensável há alguns anos. Agora eu não ligo mais para música. Claro, ainda gosto quando ouço por acaso um velho clássico, "White riot", do Clash, tocando ao fundo em alguma festinha, as guitarras de Mick Jones e Joe Strummer encobertas pelo blá-blá-blá de vozes e risadas de quarentões desatentos. Uma presença sutil, lembrança distante dos anos em que música significava para mim o mesmo que, sei lá, oxigênio para um mortal comum. O advento da internet atrapalhou minha relação com a música. Ficou tudo complicado demais. O encanto já havia se quebrado antes, quando os vinis deixaram de existir. Fui criado em lojas de disco, procurando por raridades como um cão perdigueiro. Desde que os CDs entraram em cena minha relação com os discos foi abalada. As capas dos CDs eram pequenas e o som, excessivamente limpo e comprimido, perdera a emoção dos ruidosos vinis. A música foi morrendo dentro e fora de mim. Tanto a que eu escutava quanto a que eu produzia. De vez em quando ainda dou umas palhetadas na minha velha Gibson Explorer cor de vinho, a Isabel — remanescente solitária de meu outrora numeroso harém de guitarras. Mas quando palheto a Isabel tenho a sensação de que eu e ela compomos um velho casal entediado trepando burocraticamente. Meus solos são sempre variações do mesmo infindável e fatigado solo. Miles Davies dizia que se você não tem o que solar, não sole. Bom conselho. Solos não devem ser exercícios de técnica e exibicionismo, mas a expressão de manifestações mais profundas. Não queira saber da profundidade dos meus solos. Uma criancinha poderia brincar ali sem risco de se afogar. Portanto, já que não tenho mais solos a solar, cavo areia em busca de minhas memórias subterrâneas.

11.

Lucille é o nome da guitarra do B. B. King.
Não uma guitarra específica. Todas as guitarras do B. B. King se chamam Lucille. Pode-se inclusive comprar uma Lucille numa loja de instrumentos. Lucille virou uma marca, uma *franchising* (que palavra idiota. Como alguém almeja ser um escritor de verdade escrevendo palavras como *franchising*?).
Isabel, a minha guitarra, não virou uma *franchising*.
Isabel vivia em Cornélio Procópio, no interior do Paraná. Não a guitarra, a noviça que inspirou seu nome. Isabel era noviça. Na época do sucesso, enquanto "Trevas de luz" estourava nas rádios, passávamos semanas em turnê, viajando de ônibus de uma cidade para outra.
Estávamos em Cornélio Procópio, voltando para o hotel depois do *sound check* — é como músicos chamam a passagem de som, numa tentativa de torná-la mais interessante e menos mortalmente chata —, e fãs se aproximaram para pedir autógrafos e tirar fotos. Como sempre, um grupo maior de meninas se aglomerou em torno do Tiago como formiguinhas em fila a

caminho do açucareiro. Notei uma freira muito jovem, curiosa, observando a cena de longe. Freira mesmo, vestindo hábito e véu. Lembrei da *Noviça Voadora*, um seriado de TV que eu via quando era criança. Não é comum ver freiras disputando autógrafos de roqueiros. Ela estava a uns dez metros da entrada do hotel, parada sob uma palmeira numa espécie de jardineira que dividia a rua e não se aproximou de nós, como fizeram os outros fãs. Ficou olhando tudo de longe. Depois de tirar fotos com os fãs e distribuir autógrafos, meus companheiros de banda entraram no hotel. Eu atravessei a rua e fui falar com a freira. Ela tinha cabelo preto, pele clara, sorriso clerical e uma promessa de tragédia no olhar. Como a que se pode observar em olhos de suicidas. Se até hoje não posso ver uma mulher sorrindo para mim, imagine naquela época, com toda a testosterona saindo pelo ladrão. Ainda mais uma freirinha com cara de quem vai se matar no dia seguinte.

"Eu adoro rock", ela disse.

Confessei que nunca tinha visto uma freira que gostasse de rock. Ela afirmou que achava que era a única. E me corrigiu: "Sou noviça, ainda. Posso tirar uma foto?".

Posamos juntos para uma foto que ela mesma bateu, esticando o braço. Convidei-a para o show, ela disse de jeito nenhum, tinha de voltar ao convento, estava se arriscando, noviças não podem ficar tirando fotos com músicos. Eu disse que gostaria de vê-la novamente. Ela respondeu não dá, não posso. Insisti, quero muito tocar uma música pra você. Um golpe baixo, eu sei. E bastante manjado. Mas funcionou. Ela revelou que regava flores no jardim do convento todo dia às seis da manhã, antes do café. Lembrei daquelas crianças portuguesas em Fátima, pequenos pastores assombrados pela aparição da Virgem Maria. Concluí que o que assombraria mais tarde minha noviça roqueira não seria exatamente a mãe de Cristo flutuando no ar. Ela me

explicou como chegar ao convento, que ficava um pouco afastado, já na zona rural da cidade, e pediu que eu a aguardasse num terreno baldio ao lado do muro lateral que delimitava a propriedade das freiras da Ordem de Santa Clara. Antes de se despedir, disse que se chamava Isabel.
O meu nome ela já sabia.

Depois do show passei a noite assistindo ao único programa disponível na TV, um culto evangélico em que uma pastora gostosona — e jovem — que se vestia e falava como uma *socialite* afetada parecia ter cheirado mais cocaína que eu. Ela vociferava para que Deus fosse louvado e aproveitava para pedir dinheiro aos fiéis. Aceitava cheques e cartões de crédito, a gulosa. Hoje em dia está milionária e responde a inúmeros processos criminais, inclusive na justiça norte-americana.

Às cinco e meia da manhã peguei o violão e saí do hotel. No caminho vi o céu escuro ficar da cor de gelatina de laranja com os primeiros raios do sol. O Convento das Servas de Santa Clara se erguia de uma rua de terra, atrás de um colégio, no alto de uma colina de onde se avistava a cidade. Sentei encostado ao muro e fiquei olhando o brilho das luzes cintilantes dos postes, e o céu como um quadro abstrato em que um borrão azul aos poucos invadia o fundo cor de laranja. Ouvi galos cantando e cachorros latindo. Comecei a dedilhar o violão baixinho até que Isabel pulou o muro com uma agilidade surpreendente, segurando o hábito de lado. Parecia mesmo a noviça voadora em pleno processo de aterrissagem. Ela sentou ao meu lado e disse achei que você não vinha. Eu disse promessa é dívida. Cantei — sussurrei é mais correto — "Train in vain", do Clash, emendada com "Happy", dos Stones. Depois ficamos conversando um tempo, não lembro mais sobre o quê, mas não era teologia. Ela disse que depois de Jesus Cristo a pessoa que mais admirava era a Suzi Quatro, mas isso era um segredo que levaria para o túmulo. Prometi que não contaria seu segredo para ninguém e abracei-a, mas Isabel não permitiu que eu a beijasse na boca. Passei a mão pelos seus peitos por cima do hábito e ela me apertou o braço e começou a gemer baixinho. Mas continuava negando que eu a beijasse. Iniciei uma complexa operação com as mãos, tentando sob o hábito chegar até a calcinha, enquanto enfiava a língua em sua orelha. Isabel gemia cada vez mais forte, mas tentou impedir que eu alcançasse meu objetivo, segurando meu braço. Não bastasse a resistência dela, havia toda uma proteção natural proporcionada pela roupa. As pessoas não imaginam o que freiras usam como roupa de baixo. Quem pensa que vestem simplesmente uma calcinha sob o uniforme está enganado. Existe toda uma liturgia têxtil a ser atravessada antes que se alcance com as mãos a xota de uma freira. Ou de uma noviça. Ultrapassei camadas de tecidos diferentes, anáguas, saiotes, toda espécie de lingerie eclesiástica até encontrar o santo graal de Isabel. Quando cheguei lá, encontrei-o encharcado. Mas ainda assim não permitiu que eu a beijasse. Gemendo muito enquanto a manipulava, Isabel abriu minha braguilha e começou a me tocar uma punheta com um senso de ritmo surpreendente para uma noviça. Keith Moon não faria melhor. Meu pau estava explodindo. O sol nasceu em algum lugar, lembro de tudo ficar claro de repente e eu gozar. Tipo iluminação zen. Natural, não deu para aguentar muito tempo aquele crescendo erótico-religioso. Havia muitas fantasias em jogo. E algumas perversões, por que não?

 No momento em que gozei, Isabel fixou os olhos na minha piroca melada e deu um salto para trás. Acho que foi sua primeira experiência com a poesia concreta. Ficou de pé e começou a passar a mão no muro, numa tentativa nervosa e quase histérica de limpá-la. Um caso terrível de culpa instantânea. Sugeri que ela limpasse a mão na minha calça, mas Isabel me ignorou e pulou o muro de volta para o convento. Percebi que ela chorava.

    Fiquei um tempo ali, imóvel, olhando a cidade de Cornélio Procópio. Uma carroça passou carregando uma família aparentemente normal, mas tive a impressão de que estavam todos chapados de heroína. O homem que conduzia a carroça me deu bom-dia, mas eu estava cansado e um pouco deprimido para desejar bom-dia a quem quer que fosse.

12.

"Pense no cu. Por que cu termina em *u*? Há um motivo. É a mesma coisa com as bucetas. O segredo está no *u*. *U* tem cheiro. *U* tem gosto. Até o nome oficial do cu, ânus, tem lá o seu *u*. Que beleza de palavra: ânus. Sente a sonoridade?"

Ele, de novo. O esteta da semântica genital. Meu saco. Por pouco não desenterro o rosto da areia e abro os olhos para ver a cara do estripador linguístico. Sim, há várias maneiras de defini-lo, um homem plural. Me intriga, principalmente, saber com quem ele fala. A quem dirige suas pérolas perfumadas em forma de *u*? Por que o interlocutor não se revolta? Por que não manda o chatonildo à puta que o pariu? Criamos uma geração de resignados? Ou estará o dissecador semiológico falando sozinho? Pior, proferindo asneiras ao vento só para me atazanar? Estarei sendo testado por alguma entidade superior?

Ainda assim não desenterro o rosto da areia. Me sinto bem aqui, no hotel marmota.

Cada um tem o Motel Califórnia que merece.

"Outra coisa, a questão do *nonada*", prossegue o PhD.

Lá vem merda.

"Nonada, nonada", repete. "Nonada, nonada, nonada, nonada. Que pentelhação! Não entendo todo esse *frisson* só porque alguém descobriu como um matuto diz *não é nada*. É um mérito do ouvido científico do Guimarães. Não tem nada de místico. As pessoas adoram dizer que tem alguma coisa mística na escrita do Guimarães. Desse jeito acabam resumindo o talento do Guimarães Rosa ao de um pai de santo. Nonada a ver. Ouvido científico, só isso. Grande Guima."

Desisto. Vou me entregar às lições do Mestre, escutá-lo, prestar atenção às suas incríveis divagações linguísticas e complexas e reveladoras digressões e ilações gramaticais, literárias, ginecológicas e proctológicas. Vou aprender com ele. Prestarei atenção ao *u*. O *u* da buceta. O *u* do cu. Sentirei o cheiro, lamberei as bordas do *u*.

Quando voltar ao hostal, baterei uma punheta pensando no *u*.

13.

Viajei para Seattle em peregrinação ao túmulo de Jimi Hendrix. Isso foi nos anos 90, quando eu ainda acreditava em bobagens como *esperança* e *superação* e frases ocas como *dar uma guinada* ou palavras vazias como *reviravolta* ainda pareciam fazer algum sentido. Meu momento Paulo Coelho, meu diário de um mago. Seattle, minha Santiago de Compostela. Brasileiro nos Estados Unidos vive dizendo *I'm sorry*. Vem daí a inspiração para o provável título de meu nunca escrito primeiro romance: *I'm sorry*. E o subtítulo: *Eu deveria ter seguido os conselhos de Schopenhauer*.

Sim, sou um guitarrista escritor — se é possível o paradoxo —, caso você ainda não tenha notado.

Eu caminhava solitário pela noite fria de Seattle desviando de poças d'água. Ouvia no Discman o solo de Jimi Hendrix em "All along the watchtower". Minha peregrinação ao centro do rock alternativo mundial não estava fornecendo respostas às minhas complexas questões existenciais. Tinha investido o pouco que me restava de dinheiro naquela viagem estúpida e tudo o que conseguira até então era andar em círculos, voltando sempre ao mesmo Starbuck's onde iniciara minha caminhada.

Talvez devesse ter ido para Machu Picchu.

Flanava havia horas pelo centro de Seattle, vazio àquela hora, e sem saber por quê — já que ouvia Jimi Hendrix —, pensei em Jim Morrison. Jim Morrison tinha uma voz bonita, é verdade. E um rosto ainda mais bonito. E havia lido os autores certos: Rimbaud, Baudelaire, Ginsberg. E gostava de blues, claro. O.k., mas muitos outros caras também leram poesia e ouviram blues. Talvez não fossem tão bonitos. E Jim era branco. Detalhe importante. Branco e angelical como uma putinha de estrada do Oregon.

Rei Lagarto...

"*Hey, watch out!*", gritou de repente um taxista gorducho com o rosto para fora da janela do táxi. Eu, distraído, não percebi que atravessava a rua com o sinal fechado. O desgraçado quase me atropela. Em Seattle levam-se muito a sério sinais de trânsito. Verde é verde, vermelho é vermelho. Ou melhor, *walk* é ande, *don't walk* é não ande. Ponto final. Puta falta de imaginação.

"*I'm sorry*", eu disse resignado.

I'm sorry o caralho, pensei no entanto. Havia duas frases que eu vivia repetindo desde que chegara aos Estados Unidos: *I'm sorry* e *excuse me*. *Excuse me* uma ova, disse pra mim mesmo. O taxista, como se adivinhasse e traduzisse meus pensamentos, respondeu mostrando com arrogância o dedo do meio.

"Enfia no teu, gordo do cacete!", gritei.

Em português, deduzi, dá para ser politicamente incorreto nos Estados Unidos sem correr o risco de ir em cana ou ser deportado.

"Viado."

O táxi desapareceu numa esquina e eu entrei para mais um *espresso* no mesmo Starbuck's que sempre surgia à minha frente.

Fazia frio lá fora. Dentro da Starbuck's estava quente e agradável. Seattle tem o melhor café *espresso* dos Estados Unidos. Eles se orgulham disso. É também o lugar do país onde mais chove. Eles não se orgulham disso.
"An espresso, *please.*"
"*You're very welcome*", respondeu com gentileza estudada o balconista, um sujeito com espinhas no rosto e aparelho nos dentes.
Tomei meu *espresso*. Tive a sensação de que meu coração explodiria. Era o quinto *espresso* ingerido nos últimos trinta e cinco minutos. Depois de escapar da cocaína e da heroína, talvez eu ficasse famoso como o primeiro caso de morte por overdose de café.
Cada rock star tem a overdose que merece.
Sentei num sofazinho de couro e abri o guia turístico de Seattle. Eu já havia feito isso antes, e procurei por algo que sabia de antemão que não encontraria. Não me conformo: em plena capital do rock alternativo americano, berço do *grunge*, local onde viveu e morreu Kurt Cobain, primeira cidade do mundo a ter um museu do rock, torrão natal do maior guitarrista de rock de todos os tempos, e eu não encontro no guia o endereço do túmulo do tal guitarrista, Sir Jimi Hendrix!
Mas Hendrix era preto. Preto e pobre. Detalhe importante. Nos *sixties* não rolava Barack Obama. E Hendrix era preto e avermelhado como um tronco de mogno. Com certeza não estudou cinema numa universidade de branquelos arrogantes. Enquanto Jim Morrison tinha aulas de Estética e História da Arte, Jimi Hendrix lavava o banheiro do quartel. E enquanto um está enterrado num cemitério afetado, esnobe e turístico de Paris, o Père Lachaise — ao lado de cadáveres célebres, cinzas carismáticas e restos mortais transados de nomes imponentes como Balzac, Oscar Wilde, La Fontaine, Molière e Chopin —,

o outro goza a eternidade em algum cemitério obscuro e desconhecido de Seattle.

O balconista espinhento me deu uma olhadinha simpática e cúmplice. Senti uma sutil brisa homoerótica pairando no ar condicionado? A rua lá fora estava vazia e começava a chover novamente. Encorajado pelo olhar convidativo do espinhento, fui até o balcão.

"*Excuse me. Do you know where Jimi Hendrix is buried?*", perguntei.

"*Who?*"

"*Jimi Hendrix*", repeti, caprichando na pronúncia. "*The essential guitar player.*"

Ele me olhou estupefato. Ou tinha se apaixonado de vez ou não estava entendendo bulhufas.

"*The King*", insisti. "*Hendrix! Where is his grave?*"

"*Don't know*", respondeu o balconista sem nenhuma emoção.

"*I'm sorry*", eu disse num reflexo condicionado, e saí andando pela noite fria e chuvosa de Seattle ouvindo no Discman a intro de "Castles made of sand".

Père Lachaise o caralho.

"Père Lachaise o caralho!", gritei, mas acho que ninguém ouviu.

14.

No dia em que conheci Lien, aquele em que chorei com o LP do Nova Embalagem nas mãos, eu passava por um período difícil. Levando-se em conta que isso ocorreu há algumas semanas, pode-se concluir que continuo caminhando a esmo sem cantil pelo mesmo Saara desprovido de oásis. Minhas economias habitavam as imediações do zero havia décadas. Por favor, não entenda *minhas economias* por algo significativo. Nada que transforme uma vida, pague um estudo, uma operação, viagem à Europa, compre um apartamento ou financie um carro. Tudo que me restava eram alguns dólares escondidos num fundo falso no estojo da guitarra, o sarcófago da Isabel. Desde que dilapidei paulatinamente a pequena fortuna acumulada durante os anos de sucesso — vendas progressivas de carros cada vez menores, menos potentes e menos confortáveis até a ausência total de carro; e a troca do apartamento espaçoso com vista para o parque do Ibirapuera pela quitinete em Perdizes cujas taxas de condomínio e IPTU se acumulam à espera de pagamento —, tenho vivido de esporádicos depósitos de direitos autorais provenientes das raríssimas execuções de "Trevas de luz" pelas rádios, e dos cachês que ainda insistem em me pagar por aparições deprimentes em concursos de miss, eventos em feiras agrícolas e bailes e festas em que se celebra o saudosismo dos anos 80, aberrações denominadas "Festas Ploc" e outras tragédias do gênero. Meu irmão mora nos Estados Unidos e quase nunca nos falamos. Quer dizer, agora parece que ele está morando no Canadá, em Vancouver. Desde que meu pai morreu, os sintomas do Alzheimer da minha mãe foram se intensificando, e hoje ela vive numa casa de repouso para velhos em Cotia. O lugar é bem decente. Meu irmão é quem paga a mensalidade do asilo, quero dizer, casa de repouso, mas no fundo aquilo lá é um asilo mesmo. Na última vez em que visitei minha mãe, ela me recebeu falando: "Padre Celso! Que bom que o senhor veio me ver!". Padre Celso? Tudo bem, minha mãe foi uma sacana a vida inteira, brincalhona, mas me chamar de padre Celso extrapolou todas as possibilidades de sacanagem existentes.

Naquele dia — depois de conhecer Lien, verter lágrimas sobre o LP do Nova Embalagem e encher a cara num boteco —, voltei pra casa e virei a noite tocando baixinho pra não despertar a vizinhança. Às vezes, na falta do que fazer, eu toco. O segredo é tocar com a Isabel desligada, pois além de não fazer barulho, apura a técnica. De manhã enchi o saco de apurar a técnica e resolvi ligar o amplificador, o caquético e empoeirado Marshall JCM 800, único amplificador do mundo a ostentar teias de aranha entre as válvulas. Eu precisava de algum acontecimento ruidoso pra me manter acordado. Porém, antes que eu ligasse o amp, alguém começou a esmurrar a porta. Eu teria preferido um *power chord*, mas a pegada até que era boa. (Cultura rock'n'roll instantânea: *power chord*, se você não sabe, é o acorde de guitarra com duas notas apenas — a tônica e a quinta — amparadas por muito volume, saturação e distorção no amplificador. A técnica, criada pelo guitarrista americano Link Wray no final dos anos 50, foi imortalizada mais tarde por gênios como Pete Townshend, do The Who. Para efeitos práticos, confira a intro de "We won't get fooled again".) As pancadas na porta eram firmes e ritmadas. Parecia que o Bo Diddley em carne e osso baixara no corredor do prédio batucando seu famoso *jungle-beat* na minha porta, provavelmente de olho na madeira para aproveitá-la depois na confecção das guitarras retangulares que ele mesmo fabricava e que se tornaram sua marca registrada.

Bam, bam, bam. Bam, bam.

Reconheci a deferência — eu até que merecia —, mas duvidei que o Bo Diddley tivesse voltado do além só para me homenagear batucando o *jungle-beat* na porta da minha casa. Olhei pelo olho mágico. De mágico, aliás, aquele orifício que mais lembrava um cu apertado não tinha nada. Eu não percebia magia alguma na visão de síndicos, zeladores, cobradores, entregadores de gás, caras da empresa de luz, traficantes, entregadores de pizza, aproveitadores fracassados, fracassados aproveitadores, mulheres feias e carentes (as belas e autossuficientes nunca batiam à minha porta), músicos desempregados insones, amigos sem lugar pra dormir, amigos sem onde ir, gente com cara de "tem uma graninha pra emprestar?", tipos sinistros com olheiras, seres sem cara, seres com duas caras, seres de cera, as cubistas *demoiselles d'avignon* em pessoa — recém-escapadas do quadro de Picasso à procura de abrigo —, poetas sem dinheiro, poetas sem talento, *junkies* anônimos e vizinhos estranhos. Como dona Gladys, por exemplo, distorcida ali na visão do olho trágico, completa em sua senilidade, solidão, desespero, desequilíbrio mental e solidez.

Apesar de velha, magra e maluca, dona Gladys era sólida

como uma máquina de lavar roupa. Vivia sozinha no apartamento 91, ao lado do meu, e ficou meio lelé desde que o marido evaporara, uns três anos antes. O filho único morava, segundo ela, no Mato Grosso, e nunca aparecia ou mandava notícias. Desconsiderando a hipótese mórbida de ele habitar sete palmos sob o chão, o mais provável era o sujeito estar hospedado numa penitenciária ou ser fruto da mais pura ficção ou loucura. Tanto faz. Para dona Gladys, a coisa mais próxima de uma companhia era eu. Logo eu. Nos últimos tempos ela vivia perambulando pela vizinhança, colando cartazes com a foto do marido em postes, elevadores, bancas de jornal, padarias, bares e portarias de prédios. Nesses cartazes, embaixo da foto do marido, mandara imprimir "desaparecido". O problema é que ninguém levava esses cartazes a sério, pois todo mundo no bairro sabe que o marido de dona Gladys sumiu por livre e espontânea vontade. Ou seja, ele tinha fugido, e não o culpo por isso. Se eu tivesse o que abandonar, talvez já tivesse abandonado também.

Dona Gladys deu mais umas porradas na porta. Observei pelo olho mágico seus olhos de gavião acuado perscrutando a madeira, tentando enxergar através dela. Eu poderia simplesmente não abrir e ela acabaria indo embora. Eu poderia nunca mais atender sempre que ela esmurrasse minha porta — ainda que as batidas do *jungle-beat* soassem aos meus ouvidos como o canto de sereias para Ulisses. Algum dia lady Gladys desistiria e, quem sabe, incluiria minha foto no cartaz do marido, me acusando também de desaparecer. Mas eu não queria isso pra mim. Até gostaria de desaparecer, mas não queria virar um desaparecido. Além disso, frau Gladys não tinha exatamente o *phisique du rôle* da Penelope Cruz que eu sonhava a me esperar de topless numa praia ensolarada de Ítaca. Ou de Ibiza.

Abri a porta.

"Oi, resolvi o mistério", disse dona Gladys, entrando pela casa sem a menor cerimônia.

"Que mistério?"
"Quando você vai comprar um sofá?", perguntou.
Não me dei ao trabalho de responder. Dona Gladys sempre fazia as mesmas perguntas e nunca se interessava pelas respostas. Sentou-se no colchão, único móvel da minha sala. Sentei ao lado dela. Tive a impressão de que o colchão ainda estava meio úmido de uma punheta que eu tinha batido ali de madrugada, mas era só impressão.
"Estou muito feliz, meu filho."
"Que bom."
"Não vai me oferecer nada?"
"A essa hora?"
"Acordo cedo, filho."
"Acho que acabou a cerveja."
"Acabou mesmo? Dá uma olhada na geladeira, vai."
Fui até a cozinha e só encontrei uma garrafa de vodca quase vazia. Entornei o que restava num copo e joguei a garrafa no lixo. O cesto estava cheio de coisas fedendo. Mais tarde eu teria de dar um jeito naquilo. Voltei à sala e passei a vodca para dona Gladys.
"É o que tem", eu disse.
Ela deu um gole e fechou os olhos, como se rezasse.
"Já te contei que eu conheço a Rússia?", disse, abrindo os olhos depois de acompanhar mentalmente o passeio da vodca do esôfago até o estômago.
"Não. Quer dizer, não tenho certeza."
"Foi no tempo em que o Carlos Augusto trabalhava no ministério. Passamos dez dias em Moscou. Foi horrível. Era muito frio e a única coisa boa era a vodca."
"Geralmente a melhor coisa é a vodca", eu disse.
"Na Rússia?"
"Em qualquer lugar."

Ela deu outro gole, mas dessa vez não fechou os olhos.

"Você está com uma cara amassada", disse.

"É a minha cara de sempre."

"Parece mais amassada."

"Não durmo há dois dias."

"Três. Eu escuto você tocando à noite."

"Não pode ser, eu toco a guitarra desligada. Eddie Van Halen diz que um bom guitarrista tem de saber tirar som de uma guitarra desligada."

"Concordo. Você tira. Quer ver?"

Ela cantarolou o *riff* de "Enter sandman", do Metallica, batendo palminhas ritmadas como se entoasse uma marchinha da Chiquinha Gonzaga na apresentação de fim de ano do Conservatório Musical da dona Pimpa.

"É verdade. Acho que eu andei tocando essa música ontem à noite. Belo *riff*."

"Anteontem. Ontem à noite você tocou coisas mais soltas."

"Eu não toco coisas soltas. Já toquei, hoje não toco mais. Não consigo. Repito sempre os mesmos fraseados."

"Esse era diferente. Melódico."

"Um solo. É o mesmo solo de sempre. Eu toco sempre o mesmo solo."

"Isso. Esse mesmo."

Dona Gladys fez uma pausa.

"Por que você está me olhando com esta cara? Achou que eu era surda? Que eu não gostava de rock? O rock é velho, Teozinho. Coisa do meu tempo."

"Eu pensava que as pessoas não percebiam que eu tocava sempre o mesmo solo. E também achava que as paredes do apartamento eram mais grossas."

"Eu não sou *as pessoas*. Sou seu anjo da guarda, não percebeu? Esperava um anjo da guarda com a carinha da Gisele Bündchen? Se fodeu."

Deu mais um gole antes de prosseguir: "Anjos da guarda também envelhecem. Por isso acabam abrindo a guarda em algum momento, certo? E este apartamento é uma bosta mesmo. Eu disse pro Carlos Augusto, na época em que compramos o nosso, este apartamento é uma bosta, Carlos Augusto. Mas ele não me ouviu. Ele nunca me ouvia. Ou ouvia demais, e num casamento ouvir demais é como não ouvir nunca. Dá na mesma."

"Chamar essa quitinete de apartamento é um elogio, dona Gladys."

"*Quitinete* é feio. Não digo pra ninguém que moro numa quitinete. É uma coisa que desprestigia a pessoa."

"Onde a senhora morava antes?"

"Antes de quando?"

"Antes de vir pra cá."

"Morávamos no Rio, num apartamento do ministério. Tinha uma janela grande, com uma vista linda da baía de Guanabara."

"E onde a senhora morava antes?"

"Você não acabou de me fazer essa pergunta? Estou experimentando um *déjà-vu*? Antes? Antes de quando? Antes de casar?"

"Antes de tudo."

"No casarão da minha família, em Barbacena. Tinha um pé-direito alto."

Um cansaço repentino se abateu sobre mim. Não consegui manter o olho aberto. Cochilei.

"Você está muito cansado. Precisa mudar de vida, tomar sol."

"Eu também acho. Mas não consigo."

"Você tenta?"

"Eu não consigo tentar."

"Deita aqui."

Deitei a cabeça no colo de dona Gladys. Senti os ossos das coxas descarnadas por baixo do vestido florido. Seu colo tinha cheiro de sabonete. Ela passou a mão pelo meu cabelo.

"Descansa. Você está precisando descansar."

Fechei os olhos. Era gostoso ali, apesar dos ossos e do sabonete.

"O mistério acabou", ela disse. "Acho que descobri o motivo do sumiço do Carlos Augusto."

"Finalmente."

"*Finalmente*, por quê? Você é como os outros, né? Pensa que eu sou maluca, que o Carlos Augusto fugiu com outra mulher e que eu fico por aí, procurando por ele feito uma corna idiota abandonada. Mas o Carlos Augusto, mesmo que tivesse fugido com outra, não teria deixado de me avisar. Ele não ia fazer uma coisa dessas comigo. Ele era bom. Quero dizer, *é* bom. Você chegou a conhecer o Carlos Augusto?"

Fiz que não. Mas eu não tinha certeza. Já estava mais pra lá do que pra cá. Meio dormindo, meio acordado. Meio vivo, meio morto. Longe. Como o Carlos Augusto.

"Vamos pensar no pior. Se ele tivesse sido assaltado, assassinado, atropelado, ou se tivesse sofrido um acidente, um enfarte, eu já saberia. Um corpo sempre aparece. Num necrotério, num hospital, numa delegacia. E o Carlos Augusto sempre saía com documento. Eu obrigava ele a sair com documento. Mesmo que fosse comprar pão, tinha de levar CIC e RG. Você leva documento quando sai?"

"Eu?"

"Você é jovem, os jovens não saem com documento. Quando saem, perdem."

"Jovem. A senhora é muito gentil, dona Gladys. Obrigado."

"Pra mim você é jovem. Tudo é uma questão de perspectiva."

"Entendi. Ramsés, do fundo de sua tumba num canto qualquer do museu do Louvre, acha Oscar Niemeyer uma graça de bebê Johnson."

"Bebê Johnson, que coisa mais terrível. E antiga. Foram os bebês Jonhson que fizeram a guerra do Vietnã e inventaram a AIDS. Mas é isso, você captou a ideia. O.k., pensemos em afogamento agora. Se tivessem jogado o corpo do Carlos Augusto no rio Pinheiros, no Tietê ou na represa Billings, alguma hora o corpo ia aparecer, inchado, boiando no meio da poluição."

Imaginei a cena. Um corpo boiando na represa.

"Muito bem. Cogitemos incêndio. Um incêndio a gente sempre fica sabendo. Sai no jornal, na televisão. Um incêndio é um espetáculo. Você se lembra do incêndio do edifício Joelma?"

"Lembro."

"Lembra? Porra, pensava que você fosse mais jovem, Teo Zanquis."

"Preciso ir", eu disse, dormindo.

"Ir pra onde?"

"Estou dormindo, dona Gladys. Desculpe. Não sei mais o que estou falando."

"Então escuta, não fala nada. Outro dia eu estava lendo uma revista lá em casa, depois da novela. Você estava quieto aqui e começou a tossir de repente. Depois parou de tossir e um silêncio enorme tomou conta de tudo. Eu fiquei triste, pensando na velhice, na solidão, no silêncio, no meu filho Luís Carlos lá longe, em Cáceres, e no Carlos Augusto Deus sabe onde... e então eu tive uma visão. Acho que foi Deus, ou uma força superior, que mandou aquela visão para o meu cérebro. Eu vi o Carlos Augusto. Ele estava em outro planeta, feliz, cheio de homenzinhos verdes ao lado dele. Estava corado, bem-disposto, mais magro, trabalhando na lavoura, mas era uma lavoura estranha, umas folhas grandes cheias de espinhos, mistura de cactos com folhas de bananeira, mas eles colhiam aquilo como se fosse um alimento precioso. Acho que foi isso o que aconteceu com o Carlos Augusto, ele foi abduzido. E agora está feliz, vivendo e comendo coisas diferentes. Ele sempre gostou de aprender coisas novas. Comidas estranhas. Línguas diferentes. As palavras que ele fala agora eu não posso mais entender. Quem sabe ele não vai escrever um dicionário, o primeiro dicionário de uma língua alienígena? O Carlos Augusto sempre gostou de palavras. Quando ele falava palavras difíceis, elas pareciam fáceis. Palavras como *semântica, linguística, prolepse* e *metástase* deslizavam na boca dele como balinhas de menta. No jornal ele procurava as palavras, não os acontecimentos. Só Deus ele não procurava nas palavras. Dizia que Deus era uma coisa científica. Daí eu argumentava: mas Deus é uma palavra, né, Carlos Augusto? Um conceito. Um personagem. Uma ideia. Ele nem me respondia. O Carlos Augusto achava que Deus era uma fórmula complexa de matemática. Por isso ele não se importava com Deus. Ele não gostava de números, gostava de palavras. Cada povo inventa uma palavra diferente para as mesmas coisas. Acho que o Carlos Augusto está triste, apesar de feliz. Por minha causa. O ser humano é assim, capaz de ficar triste e feliz ao mesmo tempo. Você, por exemplo. Te vejo confuso, cansado, como se estivesse de saco cheio da vida que leva, como se a tua vida fosse fracassada, porque já fez sucesso, já ganhou dinheiro, já foi lá no alto e depois caiu, caiu. Não casou, não teve filhos, não guardou dinheiro. Mas eu acho bonita a tua vida, ela tem ritmo, tem movimento. Acho que é porque você é músico, né? Lembro dos teus amigos barulhentos que apareciam sempre e agora quase não aparecem mais, as risadas, a música cada vez mais rara, o lixo fedendo na cozinha. Uns gritos de mulheres de vez em quando. Acho bonito isso, ouvir uma mulher gemendo no apartamento ao lado. As coisas vão se transformando. Sabe que eu sinto o cheiro da tua cozinha lá da minha sala? Apartamento de merda. Minha cozinha é limpa e silenciosa, meu banheiro é frio e perfumado e lá, toda manhã, eu encontro comigo mesma no espelho e é como se eu não conseguisse mais sair dali. Sabe, no fundo cada um vive sozinho, preso dentro do próprio espelho."

Quando acordei já estava escuro. Dona Gladys não estava mais ao meu lado. Ouvi o som dos carros na rua. Eu tinha dormido o dia inteiro. Levantei e fui até a cozinha, mas não havia água na geladeira. Bebi da torneira. O lixo fedia. Eu tinha de jogar o lixo num saco plástico e depois levar lá pra baixo, na calçada. Eu tinha que tomar um banho, procurar emprego, arrumar uma namorada legal. Eu tinha que tomar sol, dormir dois dias seguidos, terminar aquele solo interminável e repetitivo. Eu tinha que lavar a louça, visitar minha mãe, mandar um e-mail pro meu irmão, mudar dali, encontrar um lugar decente pra morar, descobrir uma razão pra viver. Eu tinha muita coisa pra fazer, o problema é que o tempo já não jorrava da fonte como antes.

15.

Eu não delirava quando citei Schopenhauer anteriormente. Não quero dar uma de esnobe, ou passar uma impressão afrescalhada de mim mesmo, mas sempre tive mestres incongruentes. Por exemplo, quem me inspirou a tocar guitarra foi o pintor americano expressionista abstrato Jackson Pollock. Não! Não vá com isso aproveitar a oportunidade para dizer, *ah, entendi agora por que você toca tão mal*. Tocava. Não quero entrar no mérito do resultado, mas no da intenção. Não me julgue. Ainda não. Desde que minha carreira de guitarrista pollockiano acabou — graças ao conselho do Miles Davis, "se não tiver o que solar, não sole" —, comecei a desenvolver a ideia de escrever. Ideia estúpida, concordo. Escrever pra quê? Ninguém lê.

Passei uns quinze anos sem fazer absolutamente nada. Quer dizer, fazia uma coisinha aqui, outra ali, mas no fundo tinha todo o tempo do mundo. Minha mãe ainda não havia embarcado para Alzheimerland e isso me garantia uma espécie de *tour support*, que é a cláusula que as bandas sempre exigiam quando assinavam com as gravadoras — ou *majors* como gostávamos de chamá-las em mais uma demonstração explícita de nosso presunçoso provincianismo —, isso no tempo em que ainda existiam discos e gravadoras: um auxílio em grana para a montagem do show. Como por muito tempo meu "show" se limitou ao esforço de me manter vivo na quitinete de Perdizes, minha mãe se encarregou dos afazeres práticos: alimentação, iluminação, cenários, figurinos etc. Traduzindo: comida caseira em Tupperwares na geladeira, roupa lavada e passada, pagamento de contas de condomínio, luz, gás, telefone e um troquinho para os baseados e o chope. Grande produtora, a minha mãe. Pena que Alzheimer Brothers a roubou de mim.

Bem, onde Schopenhauer entra nisso tudo? Entre os livros vagabundos que surrupiei da biblioteca do meu pai depois que ele morreu, um me chamou a atenção de cara: *A arte de escrever*. Não imagine a biblioteca do meu pai como a biblioteca de um filme inglês. Biblioteca é mais uma força de expressão. Os livros do meu pai ficavam amontoados ao lado de fotografias da família numa estantezinha feita de velhos caixotes de madeira que costumavam abrigar, antes dos livros, maçãs seletas argentinas.

Logo na primeira folheada em *A arte de escrever* encontrei um parágrafo que me impressionou: "deve-se evitar toda a prolixidade e todo entrelaçamento de observação que não valem o esforço da leitura. É preciso ser econômico com o tempo, a dedicação e a paciência do leitor, de modo a receber dele o crédito de considerar o que foi escrito digno de uma leitura atenta e capaz de recompensar o esforço empregado nela".

Está explicado por que ninguém mais lê.

16.

"Querida. Precisamos voltar pra montanha. A praia não está fazendo bem pra você...", diz a Balzaca, num tom resignado e um pouco melancólico. "Vem, Lúcia. Me dá um abraço..."
Eu estava imerso nas lembranças inúteis e de repente, lá das profundezas do diz que diz praiano, percebo que Balza e Lúcia vivenciam alguma espécie de papo sério.
"Tia, me desculpe por tudo isso..."
E descubro que Lúcia é sobrinha da Balzaca! Cada detalhe revelado é um pequeno milagre para um escritor.
Suponho que Lúcia e Balza devam estar chorando agora, porém não escuto seus soluços. Alguém passa gritando: "Paulinho! Paulinho!".
Voz de homem. Um rapaz, provavelmente.
"Paulinho! Paulinho..."
Quase desenterro o rosto do Marmota Inn. Mas opto por driblar a curiosidade e viver a minha literatura em profundidade. Literalmente. No fundo da catacumba ipanemense, de olhos

73

fechados, tentando dar rosto aos personagens e descrevê-los fisicamente apenas pela impressão que me sugerem suas falas.

"O mar é uma merda", conclui a Balzaca, reflexiva. "A gente não devia ter saído de Terê. A montanha é tão melhor que o mar..."

"Não é o mar, tia. Nem a montanha. Não é o Rio, nem Santos, nem Teresópolis, nem porra de cidade nenhuma. Sou eu."

17.

Toquei em Santos uma vez. Fiquei hospedado no hotel Papaya. Ou hotel Popeye, não lembro bem. Fazia sol lá fora, mas eu não conseguia sair da cama. A tarde corria monótona enquanto eu olhava uma gorda preparar um suflê de queijo na TV. A campainha tocou e minha cabeça acusou o golpe. Ressaca devastadora, passara a noite anterior num festim diabólico no quarto do Lu. Os empresários santistas haviam nos presenteado com uma pedra enorme de cocaína que dilapidamos como garimpeiros da serra Pelada. Lembro de ter ficado pelado lá pelas tantas, tentando comer uma outra garimpeira pelada de lábio leporino. Não conseguia lembrar do rosto nem do nome dela, só do lábio leporino. Sexy. Não conseguia lembrar também se tinha comido ou não a leporina.

"Quem é?", gritei, com uma voz de John Lee Hooker maldormido.

"A Silmara. Abre."

Eu não conhecia nenhuma Silmara. Arrastei-me em vertigens de labirintite, tentando manter o equilíbrio como se aprendesse a andar naquele momento, sentindo engulhos, com a sensação de ter uma motosserra dividindo minha caixa craniana ao meio, numa via-crúcis interminável até a porta do quarto. Abri a porta, me deparei com um sorrisão arreganhado. Silmara, a garimpeira pelada do lábio leporino.

Agora ela estava vestida — se você considerar um shortinho jeans e uma camisetinha *baby look* estampada com uma foto do Menudo uma *vestimenta*. E trazia uma pilha de CDs na mão.

"Posso entrar?", perguntou, já entrando e largando na cama o corpão convidativo como um pufe. Reparei que estava descalça e as solas de seus pés besuntadas de partículas de asfalto derretido e calçada suja.

"Você..."

"Eu mesma. Ontem, no quarto do baixista", e começou a rir. Era bonito o sorriso dela, apesar da cicatriz no lábio.

"*Too drunk to fuck...*", ela balbuciou no meio da gargalhada, e aí começou a ter uma espécie de convulsão. "Rá, rá, rá, rá."

Fiquei quieto, ainda apoiado à porta, tentando manter o equilíbrio — como se Santos estivesse sofrendo os abalos sísmicos de um terremoto de nove graus na escala Richter. De repente ela parou de rir: "Mijei na calça. Acredita?".

Antes que eu pudesse refletir sobre se acreditava ou não, ela levantou e foi até o banheiro, o que me fez decidir que sim, eu acreditava. Quando Silmara saiu do banheiro, eu já tinha conseguido chegar à cama sem muitos problemas e olhava os CDs que ela largara por ali. Silmara parecia mais sóbria, agora, e trazia um saquinho plástico na mão.

"Caralho! Tive de jogar a calcinha fora, acredita? Mijadona."

Estava difícil deixar de acreditar em alguma coisa. E então ela sorriu de novo, repuxando seus suculentos lábios leporinos e mostrando o saquinho de OB na mão.

"Mas deu pra salvar a herô. Graças a Deus."

"Amém", eu disse. "Que herô é essa? Alguma marca nova de absorvente íntimo?"

"Rá, rá, rá", Silmara disparou novamente o sistema de gargalhadas instantâneas.

"Não vai mijar de novo na calça!", alertei, falando sinceramente.

Ela se contorceu sobre a cama como uma malabarista epiléptica sobre um formigueiro de saúvas.

"Rá, rá, rá, rá, rá."

Não deu outra. Foi pro banheiro mais uma vez. Prestei atenção nos CDs. Chet Baker, John Coltrane, Miles Davis e Charlie Parker.

"A melhor música que a heroína já produziu", ela disse, saindo do banheiro totalmente nua. "Desculpa, tá tudo mijado. Até a blusa."

Ela abriu o pacotinho de plástico e começou a preparar sobre a penteadeira carreiras de algum pó esquisito, com um cartão de crédito que tirou não sei de onde, já que estava nua. Enquanto isso cantarolava "Vamos a la playa".

"Tá falando sério? Heroína mesmo?"

"Speed Ball", ela disse. "Cadê o paraíba?"

"Silmara, calma, por favor. Estou numa ressaca abissal."

"Abissal?"

"E abismal."

"Uau."

"Minha cabeça dói até quando eu respiro. Estou meio lesado, lento, funcionando a meia velocidade."

"E aí?"

"E aí que não tem nenhum paraíba aqui. Não que eu saiba", eu disse, olhando para o quarto para me certificar. Vai que deu um branco e eu não estava lembrando de ter dado guarida a algum nordestino na noite passada? Acontece.

"Ah. *Paraíba* é CD *player*. Lá no Rio a gente fala assim."

Silmara, a leporina heroinômana carioca, estava fazendo o quê, pelada no meu quarto de hotel em Santos? E com os pés imundos! A falta de sentido da vida me intrigava (ainda me intriga).

"Nós falamos sobre isso ontem", ela disse, como se lesse meus pensamentos lentos enquanto metia um CD do Coltrane no meu... paraíba. "O panteão dos heroinômanos do jazz", ela disse, rebolando.

O sax inconfundível de John Coltrane foi inundando a sala.

"Pensei que a gente tinha falado sobre os heroinômanos do rock", observei. "Lou Reed, Keith Richards, Sid Vicious..."

"Dá na mesma", afirmou Silmara antes de aspirar a primeira carreira bicolor, meio branca meio marrom, metade cocaína, metade heroína. "Speed Ball", concluiu, depois de cheirar e passar o dedo nos dentes e na gengiva. "Por que não existe nenhuma banda com este nome, Speed Ball?"

"Deve existir", eu disse, antes de aspirar eu mesmo uma linha daquelas. "A gente é que não conhece. Deve ser uma banda ruim. O mundo está infestado de bandas ruins."

"Rá, rá", ela riu, mas dessa vez não sofreu convulsões nem fez xixi no lençol. Simplesmente deitou na cama de pernas abertas, numa posição ginecológica, como se esperasse que eu lhe aplicasse um exame de Papanicolau.

"Vem", ela disse, facilitando com as mãos a minha visão do — como dizer — portal de seu aparelho reprodutor. "Vem logo que eu tô na onda."

Que onda.

"*A love supreme, a love supreme...*", cantarolou o velho Trane das profundezas dos falantes do meu paraíba. Os lábios vaginais de Silmara também eram leporinos, acredita?

18.

"Vulva, por exemplo..."
Ele, de novo. Acredite se puder. Aonde esse cara vai parar? Em cana, condenado por atentado violento à paciência alheia. Morto, estrangulado por mim. Linchado por banhistas revoltados. Engasgado com uma quantidade descomunal de *us* atravessados na garganta. Escolha à vontade, ou sugira uma opção de sua preferência.
"*Vagina* não tem o mesmo alcance de significado que *vulva*. É a velha questão do *u*. Me vem à cabeça a imagem de um iguana barbado abrindo a boca. Pense bem, repita comigo, saboreando as sílabas: *vul-va*."
Como sempre, ninguém saboreia nada com ele. *Vul-va* vaga solitária pelo ar, pairando em sotaque goiano-mineiro entre as palavras e o bruaá sem significado das conversas perdidas na praia. A vulva goiano-mineira voadora, melancólica como um solo de sax de John Coltrane.
Roqueiro percebe que está ficando velho quando começa a gostar de jazz.

"O *u* tem visco!", completa o chatotorix, exultante.

É verdade, o *u* tem visco, concordo em silêncio, já sem forças para remar contra o infame tsunami verbal.

Para me distrair, penso em iguanas barbudos boquiabertos.

"Outra coisa interessante, a incidência do xis nos sinônimos de buceta. Vamos lá, de cabeça, sem pensar demais: xana, xavasca, xota, xoxota, xeca e xereca. Se você analisar bem, qualquer palavra que se inicie com xis parece um sinônimo de buceta: xenga, xuvaca, xonga e por aí vai. Se eu disser que no interior do Maranhão a palavra xenxa é usada para designar vulva, todo mundo acredita. Que beleza de palavra, xenxa. Tem um toque afro temperado com alguma ressonância tupi-guarani. Acho que estou me tornando uma espécie de Guimarães ginecológico. Rá, rá."

Silêncio. Quero dizer, silêncio do interlocutor, que bravamente se recusa a tecer qualquer comentário a respeito das inacreditáveis sandices que lhe propõe o estripador.

Xenxa, tem dó. Guimarães ginecológico? Puta que me pariu. Eu mereço.

Você também.

19.

Fiquei sabendo de uma parada boa, pó do bom, colombiano, alto grau de pureza. O traficante era de fora — do Rio, eu acho, e estava hospedado num apê nos Jardins. Fui até lá a pé, o porteiro perguntou onde eu ia.

"Na casa da Patrícia", respondi, previamente informado da senha secreta que faria abrir a porta da caverna do Ali Babá.

"Pode subir", ele disse.

No elevador senti uma paranoia rápida: imaginei que quando abrisse a porta policiais com capuzes pretos me apontariam fuzis e me levariam em cana. Cheguei, toquei a campainha.

"Quem é?", perguntou uma voz masculina.

"Sou amigo da Patrícia", respondi, declamando a segunda parte da senha secreta. "Ela já voltou de viagem?"

O sujeito abriu a porta. Tinha cabelo preto cacheado, barba cerrada e uma argola prateada na orelha esquerda. E estava enrolado numa toalha. Traficante enrolado na toalha era a primeira vez que eu via.

"Entra", ele disse, e foi andando pela sala.

Entrei.

"Desculpe te receber assim, mas eu acabei de sair do banho."

"Tudo bem."

Imaginei que ele fosse até o quarto vestir uma roupa, mas não. Ficou ali, no meio da sala, enrolado na toalha e olhando pra mim.

"Quer tomar alguma coisa?"

"Não, obrigado. Se você não se importa, podemos agitar logo a parada? Estou com pressa."

"Tudo bem. Guenta aí, vou buscar os pães."

Tinha isso também: além das senhas complexas, só deveríamos nos referir aos gramas de cocaína como "pães". Olhei pela janela ampla da sala. Vi um monte de prédios e uma fumaça avermelhada pairando sobre a cidade. Ali Babá voltou com um saquinho plástico na mão.

"Quantos pães você quer levar?"

"Quatro. Mas quero experimentar antes."

"Claro, claro."

Ali Babá abriu o saquinho, despejou um pouco do pó sobre a mesinha de vidro, pegou uma gilete que já estava por ali e preparou duas carreiras.

"Você tem um canudo?", perguntou.

Tirei uma nota do bolso e enrolei. Ofereci pra ele.

"Não, vai você", ele disse.

Cheirei uma das carreiras.

"Gostou?"

Fiz que sim. Insisti pra que ele pegasse o canudo.

"Vai aí, eu não estou podendo comer pão. Estou tomando remédio."

Cheirei a outra linha. O pão era bom.

"Quanto é?", perguntei.

Ali Babá soltou a toalha e ficou nu.

"Operei a fimose ontem. Você já operou a fimose?" Aquele não era o tipo de papo que eu esperava levar com um traficante.

"Não."

Ele começou a mexer no próprio pau, e eu olhei de novo para a janela.

"Olha aqui", ele disse. "Olha como ficou a cabeça do meu pau."

"Tá feio o negócio, hein?", eu disse, fitando contrariado a cabeça inchada do pau do cara. "Quanto foi mesmo? Preciso ir."

"Você tá com pressa, é?", ele perguntou, e notei um tom de decepção em sua voz. "Não quer ver o meu pau?"

"Não leva a mal", eu disse.

Paguei o Ali Babá com dinheiro vivo e fui embora. No elevador, enquanto escondia o saquinho com o pó dentro da meia, tive uma outra paranoia rápida. Na verdade, era a mesma de sempre: imaginei que quando eu saísse do prédio policiais com capuzes pretos me apontariam fuzis e me levariam em cana.

Meu plano inicial era escrever um livro sobre traficantes. Achei que davam um bom tema. Escritores vivem à cata de temas, como eu vivia à cata de xotas e cocaína, antes de trocá-las por temas. Estou progredindo, é preciso reconhecer. O conto de abertura do meu suposto e jamais redigido livro de contos seria "Ali Babá", sobre o traficante que operou a fimose. Essa história realmente aconteceu comigo, exatamente como a descrevi. Ao terminar de escrever o conto, comemorei. Gritei, saí para um chope. *Yeah*, pensei, descobri minha voz. Escritor adora dizer que tem voz. Que eu saiba a voz de nenhum deles chega aos pés do gogó do Elvis.

Comecei assim, altamente iludido. Acreditando que tinha

encontrado uma voz literária rouquenha e charmosa, *à la* Tom Waits, e uma fonte inesgotável de temas. Refleti: vou lembrar de tudo que me aconteceu e sair escrevendo. Achei a mina. Resolvi o problema. Vou ser o Joseph Conrad do rock! Uau. Ou melhor, o rock vai ser a minha vida no mar. Vai nessa. As coisas não funcionam assim. Meu rock morreu afogado depois que o transpus para o papel.

Algumas boas histórias de traficantes sobreviveram ao naufrágio, no entanto.

20.

Estávamos em Salvador para um show na Concha Acústica. Como sempre, a tarde transcorria modorrenta, merencória e merdácea, isso só para ficar nos inusitados adjetivos pernósticos em *m*. Todas as tardes pareciam tardes de domingo durante as excursões. Tinha a impressão de que eu e o Tiago estávamos sempre no mesmo quarto de hotel, olhando a mesma TV, desesperados pela mesma falta das mesmas drogas e das mesmas mulheres. Uma mesmice do caralho. Por sorte o telefone tocou.
"Oi? Quarto dos guitarristas TêTê?", perguntava a voz feminina caprichada no sotaque baiano. Para alguém que estava sentindo falta de mulher, aquela voz era quase um gozo em si.
"TêTê?"
"Tiago e Teo", explicou, brejeira.
"TêTêTê", corrigi. "Tiago, Teo e o Tesão."
"TêTêTêTê, então", ela acrescentou. "Tiago, Teo, Tesão e a Teresa, prazer."
Tiago deve ter notado meu pau despontando sob a calça jeans apertada que eu usava. "Manda subir, manda subir!", ele

ordenou, estimulado apenas pelas minhas reações fisiológicas ao papinho da Teresa.

"Sou jórnalista", ela disse, detendo-se por alguns compassos na baianidade afrodisíaca daquele ó. "Escrevo prum fanzine, queria entrevistar vocês..."

"Sobe! Sobe!", gritou Tiago no bocal, sem saber de nada do que ela falava.

Teresa subiu. Não era nenhuma dona Flor — estava mais para Teresa Batista cansada de guerra —, mas dava pro gasto. Magrela, branca, uma autêntica antibaiana no visual. Mas tinha aquele sotaque instigante. Depois de umas quatro ou cinco perguntas idiotas sobre rock alternativo e bobagens do tipo "quais são suas influências?", o Tiago disparou: "Quer transar com a gente?".

"Oi?"

"Foder com o Tê e o Tê", ele explicou melhor. "Vai compreender em profundidade nossas influências, nossos fraseados e nossas cadências."

"Assim, a seco?", ela perguntou, provavelmente já lubrificadinha, largando o bloquinho de notas e a caneta, e desligando o gravadorzinho.

Tiago voou até a geladeira e pegou todas as latinhas de cerveja à vista.

"Não seja por isso", disse, abrindo uma latinha e a entregando para Teresa.

"É que eu nunca fiz *ménage*", disse ela, pronunciando *ménage* numa mistura de sotaque francês com baiano que quase fez que eu e Tiago ejaculássemos instantaneamente, tal qual chafarizes do lago do parque do Ibirapuera. Depois ela sorveu a cerveja da latinha e completou: "Oxe. Preciso de algo mais pra embalar. Um pozinho...".

Pozinho. Era justamente o que nós não tínhamos para oferecer.

"Tamos mal de pó...", alertou Tiago.

"Eu sei quem tem", emendou a sapeca.

E ligou para o Josuel em seguida. Tudo bem, nada que não houvéssemos feito milhares de vezes na vida, ligar para um traficante local atrás de pó. Mas havia um porém: Josuel era um traficante *sui generis*. Ah, os baianos. Josuel só efetuava as operações em sua moto, e em movimento. Assim, acreditava, minimizava as chances de ser surpreendido em flagrante pela polícia. Teresa nos explicou tudo isso em alguns segundos, tapando o bocal do telefone, enquanto Josuel, o *sui generis*, esperava do outro lado da linha.

"O.k.", disse o Tiago. "Queremos duas gramas."

"Mas quem vai fazer a transação?", insistiu Teresa.

"Como assim?"

"Quem vai fazer a transação na garupa do Josuel."

"Você", decidiu Tiago.

"Nem morta. Oxe. Tá me achando com cara de garupeira de motoqueiro traficante? Micou o *ménage* então", disse, enfatizando a luxuriosa e irresistível franco-baianidade daquele *ménage*.

Eu e Tiago tiramos par ou ímpar para ver quem iria acompanhar o Josuel. Perdi, claro. Tiago era tão rato que conseguia roubar até no par ou ímpar. Como, não sei. Mas eu sempre perdia. Desci à recepção do hotel e esperei uns quinze minutos por Josuel, o traficante motoqueiro *sui generis*. A essa altura, imaginei, o Tiago estaria no quarto dando conta de preparar a nossa franguinha para o abate. Tratando de amaciá-la, umedecê-la e quem sabe até prospectá-la. Muito me surpreenderia se tivesse sobrado alguma coisa pra mim, ossinhos da asa que fossem, quando eu voltasse de meu passeiozinho com Josuel, *o sui generis*. O que não se faz por uma buceta. Compartilhada, ainda por cima. Josuel chegou ruidosamente, vestindo roupa de couro escuro e um capacete preto. Aonde tinham ido parar os baianos típicos? Mulatos bonachões e sorridentes vestindo calça e camisa brancas e usando colares de contas coloridas? Cadê os Caymmis, os Jorges Amados, os Caetanos? Os *rastamen* malemolentes? Josuel parecia um personagem do Mad Max. Parou em frente à porta do Hotel da Bahia, montei na garupa e partimos em velocidade.

Antes que fizéssemos a transação, Josuel — cuja face permanece até hoje incógnita para mim — me conduziu pelos principais pontos turísticos de Salvador, ele pilotando, eu na garupa: Farol da Barra, Pelourinho, Igreja do Senhor do Bonfim. Em cada lugar, embora não estacionasse a moto, ele diminuía a velocidade e fazia um resumo rápido e automático das informações históricas: "A igreja do Senhor do Bonfim, uma das mais tradicionais da cidade, foi construída entre os anos de 1745 e 1772", ou "o Elevador Lacerda tem setenta e dois metros de altura, e liga a praça Tomé de Sousa, na Cidade Alta, à praça Visconde de Cairu"...

As informações e o passeio turístico estavam incluídos no pacote, a despeito da vontade do freguês. Vai ser *sui generis* assim na casa do cacete.

Bem, se você é uma daquelas pessoas que necessitam de finais felizes, devo confessar que ao voltar para o hotel Tiago e Teresa me esperavam comportados, como João e Maria à espera de migalhas de pão que os orientassem na floresta escura. Olhavam na TV um desses filmes em que jovens antigos cantam alegremente em volta de uma fogueira cenográfica numa praia idílica da Califórnia. Depois de uma rápida cheirolança, eu e Tiago espremeemos a baiana direitinho. E conheci ali a sensação epífania — um tanto quanto opressiva e desconfortável — da dupla penetração. Do ângulo do que penetra, evidentemente,

Difícil foi manter a ereção tendo de olhar para a nuca suadinha e tremelicante da Teresa, por trás da qual emergia eventualmente a careta idiota do Tiago enquanto degustava a baianota pela frente. Sim, a mim coube o *derrière*, posto que se o pau do Tiago estivesse no lugar do meu, conduziria inevitavelmente nossa jornalista ao pronto-socorro mais próximo.

21.

Voltei à Combat Records alguns dias depois daquele em que conheci Lien. Passei pela loja no fim da tarde, já na intenção de acompanhá-la depois do fim do expediente. Ela estava vestida com a mesma roupa de sempre, só que agora a camisetinha ostentava uma outra banda obscura, um *power trio* de *metal punk* sul-africano com nome afro tipo Wuamba ou Mutamba, não lembro. Os peitinhos pareciam mais bojudos, como se tivessem crescido um pouco desde que a conhecera. Ou então eram os punk metaleiros sul-africanos que estavam dando essa impressão. Mais bochechudos que os *death* metaleiros eslovenos, talvez. Sei lá. Logo que me viu e trocamos os "oi, belê?" usuais, ela disse: "Segura que eu tô vazando já já".

Segurei. Fomos em seguida para o mesmo boteco da outra vez e começamos a inundar de cerveja nossos esqueletos sedentos. Agora Lien era uma autoridade em Beat-Kamaiurá. Santa internet. Conhecia toda a história de minha finada que Deus a tenha banda, e havia circulado por todos os sites possíveis em que eu era citado.

"E aquela parada da prisão, como é que foi?", ela disparou a certa altura.

A prisão. Não tem como, essa história sempre me apanha de surpresa numa curva ou outra da vida. Internet do cacete. Melhor encarar isso de uma vez. Nessas horas eu me sinto o próprio Lord Jim do rock brasileiro, aquele que sabe que o passado sempre há de cobrar seus *royalties*. Foi assim com o Polanski, por que não seria comigo?

(Lord Jim? Polanski? Menos, menos.)

"E o teu amigo, o Tiago? Que fim levou depois da paradinha?"

Paradinha? Paradona. A história voltou inteira na minha memória. Não gosto de lembrar dessa história, mas de vez em quando ela volta. Como uma dor no joelho. Ou nas costas. Uma dorzinha daquelas com as quais a gente acaba se acostumando. Tive de contar tudo pra Lien, não teve jeito: na noite fatídica, há alguns anos, eu estava no apartamento do Tiago cheirando pó. Minha fortuna — sentidos literal e figurado — já tinha se esvaído, e eu faria qualquer coisa para conseguir cocaína de graça. Tiago, que também vivia em pleno ocaso e, como eu, experimentava um sentimento contínuo de frustração, se virava já havia algum tempo consertando amplificadores e regulando guitarras. Suas tentativas de seguir uma carreira solo, tocando e cantando, não tinham dado certo. Como não conseguia — eu também não — livrar-se do velho hábito de cafungar a branca, Tiago muitas vezes regulava e fazia reparos em instrumentos em troca de pequenas quantidades de cocaína e maconha. Carinhas, como as chamávamos carinhosamente, nós, as duas figuras patéticas de cera no fundo de algum galpão de um museu de cujo acervo não fazíamos mais parte. Tiago se tornara um bom *luthier*, às vezes até fabricava uma guitarra sob encomenda. Por esse motivo o apartamento dele estava sempre bem guarnecido de madeira, verniz e outras substâncias químicas. Proibidas. E de figuras de cera, como eu. Minha vida, naquela época, se resumia a um arrastar contínuo em busca de pó como uma lagartixa lutando contra a extinção. A essa altura do campeonato, Tiago e eu já nos resignáramos à nossa condição de fracassados e ao nosso destino de perdedores. Numa boa, sem problemas. Éramos os ex-alguma coisa. Havia um certo charme nisso. Aquela coisa meio Bukowski, o perdedor que, de tão perdedor, acaba se tornando uma espécie de vencedor alternativo ou *winner* invertido.

É isso, eis o que éramos: *winners* invertidos.

Winners invertidos existem aos montes por aí. Aparte rápido, como um pequeno desvio proporcionado por tetraidrocanabinol numa conversa entre compadres no balcão de um bar em Amsterdã: dois meses antes da fatídica noite que descrevo, o Tiago me ligara no meio de uma tarde cinza. Tinha sido chamado por um assistente do Tales Banabek para regular algumas guitarras para uma banda que o Tales estava produzindo.

Caso você não saiba, Tales Banabek foi o maior produtor de rock no Brasil nos anos 80. Um verdadeiro xeique do rock brasileiro naquela época, determinando o que tocaria nas rádios e quais bandas fariam sucesso. Era temido e respeitado, ganhou fortunas naquela que foi a mais faustosa das décadas para o mercado fonográfico no mundo inteiro. O Brasil chegou a ser o quinto mercado mundial de discos nos anos 80. E isso numa época em que nossa economia claudicava, com inflação monstruosa e toda a exuberante incompetência de nossos governantes.

Da maneira como falo, você poderia supor que o Tales Banabek produziu o *Totem rachado*, nosso lendário — para mim, pelo menos — disco. Não, não tínhamos cacife para tanto e, como já se sabe, a Beat-Kamaiurá nunca foi uma banda do primeiro time. Tales Banabek surgira ainda nos anos 70, como um excepcional músico de estúdio. Tocava vários instrumentos, embora a guitarra sempre tenha sido o seu favorito, e participou de gravações de todos os grandes artistas do rock brasileiro dos anos 60 e 70: Mutantes, Terço, Raul Seixas, Walter Franco, Erasmo Carlos, Rita Lee, Novos Baianos, Lulu Santos, Ronnie Von, Incríveis e muitos outros que minha memória combalida impede de citar. Com o passar dos anos, além de músico, se tornou produtor.

Tales andava meio desaparecido desde o começo dos anos 90, quando o rock começou a declinar como produto *mainstream* no Brasil — e desaparecera de vez depois que o mercado do disco entrou em colapso como um todo, a partir do início do século XXI —, mas ainda permanecia um mito para nós, que não tínhamos tido oportunidade de conhecê-lo durante os anos efêmeros de nossos quinze minutos de fama.

Quando Tiago me ligou no meio daquela tarde cinza, fomos correndo para o Medeia, o mítico estúdio de Tales Banabek, conhecer a lenda viva.

Não preciso dizer que a lenda viva não era mais tão lenda nem tão viva. Logo que chegamos ao Medeia, que fica no Alto de Pinheiros, fomos conduzidos pelo assistente de Tales Banabek a uma sala de gravação. Ali estavam as guitarras que Tiago devia regular. O aspecto do estúdio era terrivelmente decadente, com o ar-refrigerado desligado e rachaduras e infiltrações pelas paredes. As guitarras — brasileiras, um horror —, nas quais o Tiago trabalhou por uma meia hora, pertenciam a uma banda de garotos espinhentos que tinham alugado o Medeia para gravar uma demo. Espinhentos que com certeza não saberiam dizer quem foi Scotty Moore, por exemplo. Você sabe? Bem, isso não vem ao caso agora. Tudo naquele estúdio cheirava a decadência e ruína, e o pior: cadê o Tales Banabek? Ele não dera as caras durante o tempo todo que Tiago regulou as guitarras. Aliás, guitarras quase impossíveis de regular. No fim, perguntamos ao assistente: "E o Tales? Onde está?".

O assistente nos acompanhou contrariado ao quintal do estúdio — depois de perguntar "vocês querem mesmo ver o Tales?", ao que respondemos "claro, viemos aqui só pra isso". Lá encontramos um homem obeso e calvo segurando um revólver. Ele atirava numa lata vazia de azeite. Treinava tiro ao alvo. A integridade da lata comprovava que Tales Banabek ainda não havia se entendido com a mira. Mas a latinha não perdia por esperar, aos pés do outrora grande produtor e guitarrista havia um estojo de guitarra aberto repleto de revólveres e pistolas. Tales Banabek parecia ter a eternidade ao seu dispor.

"Tales", disse o assistente. "Os caras que vieram regular as guitarras daquela bandinha querem te conhecer."

Tales Banabek interrompeu o bangue-bangue e virou lentamente um rosto cansado em nossa direção. Pelo aspecto de seus olhos — turvos e vacilantes — dava para entender por que a latinha de azeite continuava virgem. Depois de alguns momentos de torpor, o velho lobo dos estúdios balbuciou: "Guitarra?". Reparei em seus dentes sujos e acavalados. "Vocês sabem regular um Colt 45? Hoje em dia eu não ligo mais pra guitarra. Meu negócio é arma de fogo."

E continuou como um zumbi a mirar e disparar inutilmente contra a invicta lata de azeite.

22.

Retornando: a frase "o caminho do excesso conduz ao palácio da sabedoria" é atribuída a William Blake. Trilhei o tal caminho, mas o único palácio ao qual me conduziu foi o apê do Tiagão. Contei para Lien que volta e meia eu aparecia no apê do Tiago para celebrar nosso fracasso e, por que não?, filar uma carinha.

Foi o que aconteceu naquela noite, a noite fatídica. Ficamos um tempo cheirando algumas linhas, conversando e ouvindo música. Lembro que escutamos discos pré-diluvianos do T. Rex. Quando saí, por volta de duas da manhã, Tiago me deu um pouco de pó embrulhado num saquinho plástico. Botei o pó no bolso e saí andando, curtindo a onda. Caminhei menos de um quarteirão quando a viatura da polícia estacionou ao meu lado. Dois PMs saltaram do carro e disseram para eu me encostar na parede, de costas, com as mãos levantadas e as pernas separadas. Tentei disfarçadamente tirar o saquinho do bolso e largá-lo na calçada. Mas os policiais notaram. Foi um deus nos acuda. Onde você comprou?, perguntavam, enquanto um deles apontava uma lanterna acesa para o meu nariz. Queriam encontrar evidências de que eu era um viciado. Você é *noia*?, insistiam. Tudo bem, eu era um usuário bastante assíduo, mas não tinha o nariz destruído pelo uso de cocaína. Nesse momento, um dos policiais, um sujeito mais velho que os outros, me reconheceu. Ei, você não é aquele cantor daquele conjunto? — banda, no Brasil, é *conjunto*. E qualquer músico popular, mesmo instrumentista, é *cantor*, expliquei isso pra Lien abrindo uma pequena pausa no meu relato. Eu disse sou sim, o guitarrista do Beat-Kamaiurá. Quer dizer, era. A banda acabou. Acabou mesmo? Que pena, disse o PM. Senti uma espécie de alívio, como se aquilo fosse me salvar da cana. Ele tocava naquela banda, o PM comentou com outro. Que banda? Aquela. O PM cantarolou o refrão de "Trevas de luz". "Trevas de luz, trevas de luz, onde foi que eu perdi o chão?, trevas de luz, trevas de luz, até quando a escuridão?" Apesar da situação, senti um arrepio de satisfação ao ouvir minhas belas e ricas rimas, mesmo que desafinadas e atravessadas como estavam na interpretação daquele cana filho da puta. Os outros policiais não conheciam a música. Normal. Ainda assim intuí que estava a um passo da libertação. Um deles é meu fã, pensei. Graças. Vão me liberar. Talvez me peçam um autógrafo antes. Eu disse pois é, eu estava na casa do cara que fez essa música comigo. Meu parceiro, o Tiagão. O outro guitarrista, lembra dele?, perguntei para o PM que tinha me reconhecido. Mora aqui ao lado. Me liberem aí, alguém quer um autógrafo? Eles queriam uma grana. Eu não tinha uma grana. Pensei em ligar para minha mãe, mas achei que estava um pouco tarde para chatear a velha com probleminhas prosaicos como subornar tiras de madrugada para evitar um flagrante de prisão por porte de drogas.

    Vamos até a casa do teu parceiro, disseram os nobres homens da lei. Vamos ver o Tiagão. "Trevas de luz, trevas de luz, onde foi que eu perdi o chão?, trevas de luz, trevas de luz, até quando a escuridão?", cantou novamente o PM coroa, cheio de graça. Então notei o escárnio. Estavam me sacaneando, claro. O fracasso estava estampado na minha carinha linda e cansada. Ninguém queria autógrafo. Não quiseram também a pouca grana que eu e Tiago conseguimos reunir, já no apartamento dele. Tampouco se interessaram por uma guitarra que o Tiago tinha acabado de construir, uma Flying V amarela. Tiveram uma ideia melhor. Vamos foder de vez esses dois merdas cheiradores fracassados velhuscos filhinhos de mamãe. Talvez renda uma reportagem. Uma matéria na TV, quem sabe? Os policiais nos levaram até a delegacia. O golpe de misericórdia veio do delegado. Ele autuou Tiago por tráfico e eu por porte de drogas, já que Tiago me dera a cocaína e isso, pela lei, caracteriza tráfico. No meu caso só precisei pagar uma fiança. Minha mãe se encarregou de fazer o cheque no dia seguinte de manhã. Mas Tiago foi enquadrado num crime inafiançável, que rendeu pouquíssimas matérias em rodapés de páginas policiais de jornalecos sensacionalistas. Graças a elas, porém, eu me sentia agora como um livro ruim aberto na frente da Lien. Um *Memórias do cárcere* mal reescrito em versão reduzida e ilustrada para adolescentes analfabetos amantes de rock'n'roll. Não consegui deixar de comentar com Lien, nesse momento do relato, aquela velha tirada do Frank Zappa sobre jornalismo de rock: gente que não sabe escrever escrevendo para gente que não sabe ler sobre gente que não sabe ler nem escrever. Mas ela não entendeu onde a frase do Zappa *lincava* com minha história trágica. *Lincava* é foda. Tudo bem, a parada rolara havia um tempo, o Tiago conseguiu sair da cana depois de uns seis meses lá dentro, eu cumpri minha pena em liberdade graças à santa Sursis, protetora dos usuários e portadores de drogas ilícitas, a ferida cicatrizou, mas a minha amizade com o Tiago deu uma esfriada. Faz um século que não sei mais do Tiago nem de nenhum outro ex-membro da banda. Normal.

"Quer dizer que você foi uma espécie de dedo-duro?"
"Espécie não. Dedo-duro mesmo. O único crime que nem a religião perdoa. Manja Judas?"
"Sinistro", disse Lien.
"Super", concordei, entornando mais um chope.

23.

"Tia, aquilo não foi uma tentativa de suicídio. Vocês não entendem."

Um pouco de drama. Certo, minha estada no hotel marmota estava até agora repleta de vozes anônimas, sons flutuantes, lembranças desconexas, chistes, bazófias, areia, questionamentos pueris, obsessões risíveis, dilemas enterrados, amargor camuflado, sol a pino, ressentimento explícito, sanduíches naturais, tergiversações, *us* em profusão e besteiras variadas. Era inevitável que o drama, qual um urubu, pousasse sobre minha carcaça ardida em algum momento. John Lennon disse numa canção que "Vida é o que acontece quando se está ocupado com outros planos". Seu assassinato, por exemplo, foi a mais contundente manifestação que a vida lhe apresentou.

Fui uma vez até o Strawberry Fields, um ponto no Central Park de Nova York em que se homenageia o ex-Beatle. Havia turistas sentados nos bancos, descansando. Poucos pareciam ter consciência de que ali se cultuava a memória de John Lennon. Uma velha muito velha, sentada numa cadeira de rodas, parecia meditar. Ao lado da velha um rapaz com idade para ser seu bisneto jogava obsessivamente um game. Um músico bêbado entoava canções dos Beatles acompanhando-se ao violão. Ele tocava e cantava muito mal, e demonstrava estar irritado por ninguém depositar moedas no boné que deixara no chão. Me identifiquei com a figura, lógico. Joguei uma moeda no boné do cantor desafinado. Pedi que ele cantasse "Mind games". Enquanto ele cantava, um casal de bêbados começou a discutir.

"Esquece isso, Lúcia", diz a Balzaca, me conduzindo de volta a essa abstração sem sentido a que chamamos tempo presente. Ou vida real. "Essas coisas acontecem, eu disse pra tua mãe. Você estava sofrendo lá em Santos. Agora você está comigo, vai ficar tudo bem..."
"Tia, eu não tava sofrendo. É isso que vocês não entendem..."
"Paulinho! Paulinho!"
De novo o Busca-Paulinho passa correndo, encobrindo o diálogo da tia e da sobrinha.
"Paulinho! Paulinho..."
"... eu fiz o que eu achava que devia fazer. Minha relação com o Nenê foi legal, tia. Foi bonita."
"O que tem de bonito numa relação destrutiva? Que coisa doentia foi aquela?"
"A gente se amava, tia. Se ama ainda. É isso que vocês não entendem. Nem você, nem minha mãe, nem ninguém. Só eu e o Nenê."
"E aquela irresponsabilidade? Aquela loucura?"
"Que loucura, tia?"
"Você sabe do que eu estou falando. A seringa..."

"O negócio da seringa não foi desleixo nem loucura, como vocês pensam. Nem irresponsabilidade. Foi pensado."
"Deixa pra lá, Lúcia. Isso já passou."
"Não. É importante que vocês saibam, embora eu já tenha repetido mil vezes. A gente compartilhou a seringa porque a gente se amava. Se ama, ainda. O amor é eterno. Foi um pacto."
"Mas esse negócio de pacto é tão..."
"Ultrapassado?"
"Não sei se *ultrapassado* é a palavra certa. Não é isso o que eu quero dizer. Eu acho esse negócio de pacto meio ingênuo."
"O amor de Romeu e Julieta era ingênuo?"
"Claro que era!"
"Tem amor mais bonito? Ou verdadeiro?"
"Tá bom, Lúcia. Eu sei. Acredito em você. É que nós, mulheres, somos muito ingênuas. Vamos embora. Chega de praia. Vamos almoçar, depois pegar um cinema", diz a Balzaca, resoluta. "Tá passando o novo do Almodóvar, você já viu?" O tom de sua voz é ainda mais grave. Não capto resposta de Lúcia à proposta de ida ao cinema. Escuto alguns ruídos, como mãos batendo pelo corpo, tirando areia. O juntar das bolsas, toalhas e cangas. São ruídos muito sutis, que meu *tinitus* e meus anos de abuso auricular me impedem de precisar. A tentação de abrir os olhos é quase irresistível. Para afugentá-la, penso em Lien.

24.

Naquela noite, depois da cerveja e das revelações constrangedoras de meu passado de fracassado cocainômano dedo-duro, levei Lien para conhecer meu apê. O velho cafajeste ainda tinha o seu rock'n'roll aceso em algum lugar. No meio das pernas, diriam os mais atentos — sim, além do dedo indicador outras partes de minha anatomia ainda insistem em preservar a capacidade de endurecer. Ela adorou o look decadente chique da minha quitinete — que num eufemismo gentil e criativo chamou de *miniloft* —, e foi logo metendo os dedinhos gordurosos — tínhamos comido pastéis quando percebemos que as cervejas nos conduziam a um estágio obscuro de embriaguez — na Isabel, minha Gibson Explorer largada sobre o colchão/sofá/cama no meio da sala.

"Uma Explorer!", exclamou, cheinha de entusiasmo *groupie*. Não dá para falar tiete, desculpe. Tiete é negócio de artista de MPB.

Ela se ajoelhou sobre Isabel, a sobrevivente.

"Igualzinha à do James Hetfield!", concluiu, embasbacada. Aproveitei para dar uma conferida na bundinha branquela que despontava mal embalada por uma calcinha preta sob a minissaia ainda mais preta. De costas ninguém diria que Lien era filha de coreanos. Tinha até um certo quê afrodescendente, a doce coreaninha calipígia.

"O The Edge também tem uma igual!", prosseguiu, excitada, as nádegas em flor. Ah, um detalhe interessante, a calcinha estava meio esgarçadinha nas bordas. Lembrei da voz esgarçadona do Keith Riff Master Richards: "*She's my litlle rock'n' roll...*".

"As cordas estão enferrujadas...", Lien concluiu, surpresa, depois de melecar o cordoamento da Isabel com óleo cancerígeno reaproveitado na fritura de pastéis ambíguos.

"Cuidado pra não pegar tétano", alertei, enquanto sentava ao seu lado no colchão. "Brincadeira. É que eu toco muito pouco ultimamente. Os baixistas de *reggae* passam anos sem trocar as cordas do baixo."

"Guitarra não é baixo", disse ela, mostrando que sabia das coisas. "E reggae não é rock."

"Vem cá", eu disse, puxando Lien pra perto de mim e lascando um beijão naquela boquinha oriental. Queria ver se ela realmente sabia das coisas.

Lien sabia. Sabia chupar um velho e estoico pau e roçá-lo carinhosamente entre os peitos, lambuzando-os da própria saliva numa deliciosa espanhola coreana cremosa, e depois embalá-lo duro numa camisinha que ela mesma havia trazido na bolsa e aconchegá-lo na bucetinha quente e ritmada até o gozo triunfal, um tanto quanto precipitado: eu não via uma xavasca havia um tempão, confesso. Uma boa canção de rock, comprovam os Ramones, não deve durar mais que dois minutos e meio.

"Por quê?", perguntou Lien, depois de eu ter me recuperado do coma pós-coito.

"Por quê o quê?"

"Por que você entregou o Tiago pra polícia?"

"Amarelei. Achei que botando o Tiago na parada eu aliviaria a minha situação."

"Ou então não quis dançar sozinho e decidiu levar o amigo junto pro buraco."

"Pode ser. Foi a cara de porco."

"Que cara de porco é essa?"

"Quando os canas me pararam, fiquei com cara de porco."

"Como é essa cara? Faz aí!"

"Não dá. Pra ficar com cara de porco é preciso estar com o cu na mão, e não adianta me virar esse rabinho lindo. Cu na mão no sentido figurado, manja?"

"Não tô entendendo."

"Che Guevara, conhece?"

"Amo de paixão."

"O Che Guevara dizia para seus companheiros guerrilheiros na Sierra Maestra, em Cuba, antes dos ataques, pra não ficarem com cara de porco. Cara de porco é a cara que a gente faz quando está com paúra de alguma coisa."

"Paúra?"

"Medo, pavor, cagaço."

"Aposto que o Che Guevara não ficava com cara de porco."

"Ele não. A coragem foi a grande perda da minha geração."

Lien soriu e repetiu a minha frase idiota, como se ela, a frase, merecesse alguma reflexão: "A *coragem foi a grande perda da minha geração*".

E então se tocou de que já estava tarde. Ou encheu o saco do meu papo cabeça.

"Preciso dar um wazari. Antes que a minha mãe fique com cara de porco."

"Eu te levo", eu disse.

"Não precisa", disse ela, vestindo a camisetinha punk metaleira.

"Faço questão."

Lien não estava acostumada a cavalheirismos e bons tratos. Só faltou se curvar agradecida à minha frente, à moda oriental. Durante o trajeto no táxi não falamos muita coisa. Lien pousou em suave contemplação budista a mãozinha sobre aquela carne mole que já havia sido um pau rijo em tempos mais gloriosos. Tive a impressão de que sua mão continuava gosmenta, mas com certeza não era mais do óleo cancerígeno. Numa ruela esquecida nos cafundós do Cambuci, Lien pediu que o táxi parasse.

"Aquela casa ali", ela disse, indicando um sobradinho cheio de viaturas da polícia estacionadas em frente a um portão vermelho. As luzes dos carros da polícia piscavam e havia alguns policiais civis na calçada. Apesar das luzes piscantes, aquilo não era um enfeite de Natal.

"Aquela? Com os carros da polícia?"

"É", ela concordou, saltando do carro, aparentemente tranquila. "Boa noite. Na moral."

Na volta para casa não pensei em muita coisa. Cochilei no táxi, sonhei com jabuticabeiras.

25.

A Balzaca sem nome e a sobrinha suicida Lúcia já foram embora. O dissertador semântico-ginecológico — estripador linguístico, terrorista verbal, dissecador semiológico de bocetas, analista proctoetimológico e Guimarães ginecológico nas horas vagas — não se manifesta há algum tempo, assim como seu interlocutor, o heroico e paradoxal interlocutor anônimo surdo-mudo (que talvez seja a heroica e paradoxal interlocutora anônima surda-muda, não se sabe. Uma espécie de Joana d'Arc praiana, imolada por abobrinhas incandescentes, bobajadas inflamáveis e babaquices flamejantes). Que turma, hein? Meus amiguinhos da praia. Não os vi. Nem você. Podemos imaginá-los da forma que quisermos, moldando suas expressões e características físicas às nossas próprias experiências e vivências. Ah, a magia da literatura. É um dos motivos alegados por Gabriel García Márquez para nunca ter vendido os direitos de *Cem anos de solidão* para o cinema. Para que os Buendía nunca adquirissem uma forma definitiva e perdessem o etéreo encanto literário. Eu teria preferido a concretude de uma bela quantia em minha conta bancária, mas eu não sou o Gabo, como você já reparou.

Penso em Phil Spector, o genial e abilolado produtor musical norte-americano inventor da Wall of Sound, técnica de gravação que revolucionou o mercado do disco nos anos 60. Desculpe o papo técnico, mas guitarristas adoram falar de equipamento, o que é um saco. Mick Jones, guitarrista do Clash, diz que não importa o *que* se toca, mas *quem* toca. Portanto não vou pentelhar ninguém aqui com assuntos como marcas de guitarra, tipos de pedais e impedância de amplificadores. Mas não posso deixar de falar da Muralha de Som, uma das mais belas criações humanas desde, sei lá, a muralha da China. Wall of Sound consiste numa adição de dobras, efeitos, eco e orquestrações às partes previamente gravadas dos instrumentos e vozes nos arranjos. Phil Spector definiu sua criação como a aplicação de um princípio wagneriano ao rock'n'roll: "pequenas sinfonias para a garotada", dizia ele. Phil entendia do assunto. Preferia *singles* — ou *compactos simples*, como os chamávamos por aqui — aos LPs. Definia os LPs como "dois hits e dez pedaços de lixo". Um gênio, porém sem nenhuma noção de humanidade. Conhecido por sua excentridade, Phil cumpre pena de prisão perpétua por ter assassinado, aparentemente sem razão, uma atriz decadente de filmes B que conhecera numa discoteca e levara para sua mansão em Los Angeles, numa noite em 2003. O motorista de Phil, ao chegar para o trabalho de manhã, flagrou o lendário produtor com as mãos ensanguentadas, segurando um revólver. Com uma expressão de espanto no rosto, Phil disse ao motorista: "Acho que matei alguém".

O destino devia ter poupado a atriz decadente de filmes B de uma morte tão banal. É por essas e outras que cada vez menos eu vejo sentido na morte. A vida nunca teve nenhum, como se sabe.

Outro grande entusiasta da técnica da Muralha de Som é o não menos abilolado — porém muito mais genial — Brian Wilson, dos Beach Boys. "Good vibrations" é um dos melhores e mais inspirados exemplos dessa técnica.

Brian, ao contrário de Phil, não matou ninguém. Não que eu saiba. Mas habita outra espécie de prisão perpétua, pois convive há décadas com uma depressão profunda e tem o perigoso hábito de passear de vez em quando pelas escadarias que levam ao porão da insanidade completa.

Brian também merecia um destino mais luminoso. O homem compôs "Good vibrations"!

I'm picking up good vibrations
She's giving me excitations...

Apesar dos pensamentos edificantes — etéreas muralhas e paredes invisíveis audíveis como uma avalanche —, as vibrações que sinto não são boas. Percebo um vazio súbito no peito, uma onda de frio me percorre a espinha esturricada. Penso em Lúcia. Divago sobre as possibilidades propostas pelos fragmentos de seu diálogo com a Balzaca. Por que motivo fizera um pacto de morte com o namorado Nenê? Ele morreu e ela não? Alguma coisa saiu errada no plano? Ou ambos se infectaram conscientemente com um vírus mortal e aguardam soberanos o momento de morrer de amor? Será Lúcia uma dessas raríssimas pessoas que, nos dias de hoje, ainda se matam — ou tentam se matar — por amor? Por que sinto a tragédia tão próxima? Como se ela dissesse respeito a mim, e não a uma banhista qualquer chamada Lúcia. Tenho impressão de que ainda descobrirei algo terrível por aqui.

Eu e você.

"No japa ou no francesinho, pode escolher...", sussurra a vozinha feminina suave e com forte sotaque carioca, me desviando dos pensamentos sombrios.

"Japa não", responde o macho igualmente carioca, não tão suave. "Muito caro."

"Eu pago com o cartão e depois peço a grana pro meu pai..."

Ah, os diálogos prosaicos do dia a dia. É como se eu tivesse sido arrancado de repente das catacumbas sombrias do estúdio de Phil Spector em LA e fosse arremessado a um estúdio solar da Rede Globo, no Rio, no meio da gravação de uma novela. Diálogos de novela não são fáceis de escrever.

"Ah, vamo no japa, vai? Gosto tanto de rolinho primavera..."

"Mas eu queria *escargot*... tem *escargot* no japa?"

Segundo Voltaire — a quem ouço exclamar do âmago de minha mente um tanto quanto perturbada pela exposição ao sol —, "*l'adjectif est l'ennemi du substantif*"!

Ao que Schopenhauer emenda, estranhamente em português, "sem dúvida muitos escritores procuram esconder sua pobreza de pensamento justamente sob uma profusão de palavras".

A praia é um enxame de palavras e eu, definitivamente, não sei como transformá-las numa Wall of Sound.

26.

Fiquei intrigado com aqueles policiais em frente à casa da Lien. E o cheiro dela, um misto de almíscar com suor seco, pairava na quitinete mesmo depois de eu abrir a janela e deixar entrar toda a cota diária de monóxido de carbono a que tinha direito, como um honesto cidadão paulistano, cumpridor dos meus deveres e pagador de quase todos os meus impostos. Voltei à Combat Records numa terça-feira de manhã.

"Quanto tempo, hein? Achei que não ia aparecer mais", disse Lien.

"Você já sabe o meu endereço. Pode chegar lá em casa à hora que quiser."

"Tava torta de cerveja naquele dia. Lembro do *miniloft* e de tudo o que aconteceu lá dentro", ela disse, aproveitando a pausa pra abrir uma fenda cínica no rosto quadrado, o que resultou num sorriso. "Mas não lembro onde fica."

"Confesso que também não saberia como chegar na tua casa", eu disse.

"Cê tava meio cansadão mesmo. Reparei", afirmou, alongando ainda mais o sorriso. Aliás, afirmação que me desgostou e abateu um pouco a autoestima. É o preço que se paga por uma xotinha morna recém-saída da adolescência. "É fácil chegar em casa", prosseguiu Lien. "O Cambuci não tem erro."

"E aqueles policiais?", perguntei.

Ela ficou séria e olhou para um bigodudo que acabava de entrar na loja.

"Quer almoçar?", sugeriu, baixinho. "Daqui a duas horas você me pega aqui."

O bigodudo me disse "oi". Ele era a cara do Fred Mercury, embora não tão alto.

27.

O Cambuci não tem erro. Eis uma frase. E a Aclimação e o Sapopemba, têm? Lembrei da fila dos desesperados. Fica no bairro do Ipiranga, em São Paulo. Frequentei a fila mensalmente durante meus anos de *sursis*. Na minha primeira vez, logo que pisei na calçada dois policiais se aproximaram. Um deles me apontou o revólver.

"Por que a jaqueta? Tá armado, cara?"

"Tô com frio", eu disse, enquanto o outro me apalpava.

"Tá quente pra catano", insistiu o do revólver. "Pra que essa jaqueta? Tá escondendo uma arma?"

"Eu não tenho arma nenhuma. Tô com frio, já disse."

"Mas tá calor!"

Eu poderia ter argumentado que frio e calor eram estados de espírito, mas resolvi ficar quieto. Quietinho.

"Tá limpo", afirmou o que me apalpava, depois de se certificar de que tudo o que eu tinha nos bolsos eram um tíquete amassado de cinema, uma carteira de identidade, um atestado de

trabalho, um comprovante de residência e uma caderneta expedida pela vara das execuções criminais. "Pode ir."
Meu estado de espírito mudou de repente. Fiquei com calor. Tirei a jaqueta e entrei na fila. Um negão enorme chegou sorrindo.
"A fila dos desesperados!", disse, e parou atrás de mim.
Foi assim que aprendi o nome da fila. Na minha frente tinha um cara com a barba rala, fedendo a cachaça. Ele não riu do comentário do negão. Calculei que havia uns vinte sujeitos na minha frente. Parecíamos figurantes em busca de trabalho num filme de piratas. Ou numa refilmagem do *Sindicato dos ladrões*. A fila, como qualquer fila que se preze, se arrastava como uma cobra gorda e preguiçosa. Fiquei ouvindo o som dos carros que passavam. Reparei que o cara na minha frente começou a tremer. Ele virou pra mim:
"Você acha que eles vão aceitar?"
Ele me mostrava um documento rasgado.
"O que é isso?"
"Meu atestado de trabalho."
Tentei ler o que estava escrito no papel. Não consegui, ele não parava de tremer.
"Não sei. É a minha primeira vez."
Ele voltou a olhar para a frente.
"Dezesseis?", perguntou o negão.
"Dezesseis o quê?"
"Dançou no artigo dezesseis?"
"Foi."
"Logo vi. Playboy, aqui, é por porte. Pegou quanto?"
"Seis meses. Com o *sursis*, dois anos na condicional. Eu não sou playboy."
"Não esquenta, eu estava brincando. Fumo?"
"Cocaína."

"Rico dança com cocaína, pobre com crack."

"Eu não sou rico. Sou músico. Ex-músico."

"Legal. Mas se fodeu do mesmo jeito."

"É."

"Não esquenta." Ele apontou para a fila à nossa frente. "Aqui todo mundo se fodeu."

Não falei nada. Fiquei olhando a fila dos desesperados.

"Tudo bem", ele disse. "Pra você vai ser mole vir até aqui uma vez por mês e apresentar atestado de trabalho e comprovante de residência."

"É. Tá certo", concordei.

"Você já puxou cana?"

Fiz que não. Pensei no Tiago, lá dentro.

"Passei dois anos no inferno, meu."

Gotinhas de suor começaram a brotar da testa dele. Devia ser o calor do inferno.

"Próximo!"

Era o funcionário do guichê me chamando. Apresentei a conta de luz e um atestado que a editora de "Trevas de luz" tinha preparado para mim. Pra alguma coisa serviu, afinal, toda aquela grana que eles ganharam com a música.

"Compositor?", perguntou o funcionário, enquanto olhava o atestado.

"É. Músico também."

"Que instrumento você toca?"

"Guitarra."

Ele carimbou minha caderneta.

"Músico come muita mulher, não?"

"Depende."

"Depende de quê?"

"Do músico." Pensei no Tiago de novo, lá dentro do inferno. Preso, na melhor das hipóteses estaria comendo uma ruela limpa e honesta, não muito arrombada.

"Conheci um pianista que tinha uma carteirinha do CCB."

"CCB?"

"Clube dos Chupadores de Boceta", ele disse. "O Wilson. Conhece?"

"Não."

"Não conhece o Wilson ou não conhece o Clube dos Chupadores de Boceta?"

"Os dois."

"O Wilson tocava na banda do Wanderley Cardoso. Tecladista. Quem pega mais: guitarrista ou cantor?"

O homem era uma fonte inesgotável de dúvidas e incertezas. Ele não esperou minha resposta. "Acho que cantor pega mais", concluiu, enquanto me devolvia a caderneta. "Vou te dar um conselho, cuidado com menor de idade. No Brasil só tem duas coisas que dão cana: não pagar pensão alimentícia e comer menor de idade."

"Vou ficar ligado."

"Até o mês que vem", ele disse.

Saí andando. Virei a esquina e encontrei o sujeito que estava na minha frente na fila. Ele estava parado num ponto de ônibus e ainda tremia.

"Acho que eu vou dançar, cara", ele disse. "Eles não aceitaram meu atestado de trabalho. Você tem uma grana pra me emprestar? Estou sem trocado pro *bumba*."

Bumba tinha acabado de virar sinônimo de cachaça. Dei um troco pra ele. Continuei andando e prestando atenção no caminho. Um mês passa voando.

28.

Fui ao Ponto Chic dar um tempo até a hora de pegar a Lien para o almoço. Bebi uns chopes e fiquei olhando a estátua de Casimiro Pinto Neto, inventor do bauru, o sanduíche. Deve ser bom inventar alguma coisa, nem que seja um sanduíche. Lembrei do Elvis inventando o rock sem querer, no dia 5 de julho de 1954. Tentei escrever um conto sobre isso uma vez. O narrador, em primeira pessoa, é um técnico de som presente à sessão histórica em que o rock foi inventado. Seu nome é Jack. Pena que não tenha guardado nada do que escrevi. Estava começando com essa maluquice de escrever, então aquilo me incomodava como herpes. Escrevia onde dava, mesmo que estivesse no apartamento de uma namorada ninfomaníaca que só pensava em copular. Lembro mais ou menos de como era o conto, mas o arquivo deve estar mofando no *hard disc* da Gina, a ninfo. Se é que ela ainda vive. Bem, o *hard disc* ainda deve estar vivo, com certeza. Essas merdas não se desfazem.

Estava namorando uma ninfomaníaca na época. Uma milionária desajustada filhona de papai que habitava um apê gigante em Higienópolis, a Gina. Gina *Kertz*, ela fazia questão de frisar. Gina achava que artista plástico tem que ter nome duplo. E começava a vomitar exemplos ininterruptos: Andy Warhol, Hélio Oiticica, Robert Rauschenberg, Ivald Granato, Frank Stella, Lígia Clark, Jasper Johns, Rubens Gerchman, Francis Bacon, Gregório Gruber, Joseph Beyus, Antônio Dias, Lucien Freud, Jorginho Guinle (repare como Gina alternava nomes estrangeiros e nacionais, obcecada que era com simetria).

Gina se dizia pós-moderna e guardava um monte de lixo espalhado pelo chão do apartamento. Assegurava que aproveitaria aquilo no momento oportuno. "Minha obra", afirmava, "nasce do lixo, como uma Fênix ultrajada." Por ora só recolhia o material. O momento oportuno nunca chegou. Enquanto frequentei aquele lixão chique nunca vi Fênix ultrajada nenhuma brotar da sujeira. Senti seu fedor, no entanto.

Virei algumas noites com a Gina, os dois cheiradaços, catando lixo pela madrugada. O horror, como diria o Conrad. O horror.

Gina era madura — fisicamente, claro. Mentalmente não passava de um bebê com incontinência vaginal —, mais velha que eu uns três ou quatro anos, viajada mundo afora, frequentara cursos de arte, participara das mais idiotas e inconsequentes experiências artísticas de que se tem notícia, vivera em Berlim, Nova York, Praga e Viena, sempre bancada pelo pai, casara algumas vezes, descasara outras tantas, cheirara um Saara de cocaína, fora entubada orifícios adentro por feixes e feixes de caralhos multiformes, mas nunca se encontrara em lugar nenhum. Uma desorientada completa, de cabo a rabo, literalmente.

Tínhamos de acabar nos esbarrando em algum momento.

Não me lembro onde Gina e eu nos conhecemos. Acho que num desses bares que começam a funcionar às três da manhã, cheios de gente descolada, bichas *fashion*, manecas cheiradas, jovens descerebrados movidos a ecstasy, DJs surdos, pseudoartistas plásticas ninfomaníacas e ex-roqueiros insones. Na verdade, fora o sexo, eu e Gina tínhamos pouco mais que nada em comum. Gina não gostava de rock, era metida a sofisticada, adorava levar papos *cult*, citar filósofos, Hegel isso, Chomsky aquilo, amava arte de vanguarda, instalações, performances, vinhos orgânicos, comida *thai* e outras babaquices do gênero, enchia a boca para pronunciar nomes como Basquiat, Bausch, Bach, Bosch, Bacon, Beyus e Bauhaus, frequentava vernissages — tem coisa mais chata? —, preferia ouvir Laurie Anderson a Ramones, achava Guns and Roses a maior cafonice do mundo e adorava literatura brasileira. Por essa ninguém esperava. Idolatrava aquele poeta gaúcho, Mário Quintana. Considerava o cara uma espécie de enviado do divino. Tenha a santíssima paciência.

Essa era Gina, a ninfo. O que eu estava fazendo com uma mulher assim? Ela tinha um computador, dinheiro e pó. E, principalmente, uma compulsão louca para dar a buceta. Quando não estávamos catando lixo ou cafungando, nos dedicávamos à grande curtição de Gina: foder com a janela aberta, para os vizinhos olharem. Tinha um que olhava de luneta e se masturbava enquanto trepávamos. Descobri depois que era um ex-marido dela. Gina Kertz nunca me contou esse detalhe.

29.

O cantor é um menino, não deve ter mais que dezoito anos. Mas seu senso de ritmo é fantástico! E a voz? Parece um crioulo cantando. Ouvi dizer que é um chofer de caminhão de Tupelo. O guitarrista é um frangote, mas o próprio Chet Atkins ficaria assombrado com a técnica do garoto. E o baixista? Puta que o pariu, de onde surgiram esses caras? E o que eles estão fazendo com o blues do Crudup? Ei, moleques, isso é um blues! Vocês estão ligados na tomada ou o quê?

Sam chegou de repente, com a mesma gravata de sempre apertando o pescoço. Nem no calor de mil graus do verão de Memphis o Sam consegue tirar a maldita gravata. Ele notou a bagunça que rolava no estúdio do outro lado do vidro.

"Ei, Jack, o que esses moleques estão fazendo?"

"Fodendo o blues do Crudup. Mas eles são bons."

"É. Eu gosto. Tem ritmo. Parece uma banda country."

"Sam, 'That's all right mamma' é um blues, não uma canção country."

* * *

"Vem."
"Já vou."
"O que você está fazendo?"
"Escrevendo."
"Uma letra?"
"Um conto."
"E desde quando você escreve contos?"
"Já te falei dessa minha nova obsessão. Escrever. Me deu um *insight*. Histórias que tenham o rock como tema."
"Rock como tema é ridículo. Roqueiro não é tudo débil mental?"
"Obrigado. Vindo de você, suponho que seja uma espécie de elogio."
"Brincadeirinha. Você é diferente. Ex-roqueiro decadente e desiludido é diferente. Tem *pathos*."
"Obrigado mais uma vez. Estou ruborizando. Que história é essa de que eu tenho patos? Uma vez toquei numa cidade chamada Patos de Minas."
"Fofinho. Acho que você não tem *pathos* porra nenhuma. Tia Gina se enganou. Vai escrever contos em linguagem telegráfica, tipo jornalismo? Pá, pá, pá, pá, pá, pá, vai? Prosa seca? Um Hemingwayzinho? Mais um jovem escritor influenciado por Rubem Fonseca?"
"Obrigado pelo *jovem*, mas meu *approach* é diferente. Não é jornalismo. Vou falar da minha vivência, não encontrei a linguagem ainda. A voz virá com o tempo."
"Sei. *Approach* é uma palavra arrogante. *Insight* também. É assim que você quer se tornar um escritor? Usando palavras arrogantes e cafonas em inglês?"

"Esquece o rock, então. É só um tema como outro qualquer. Como o Conrad escrevendo sobre a vida no mar."

"Joseph Conrad? Que chique! Está comparando a tua vivência no rock com a vivência do Conrad no mar? Bonitinho."

"Sem um pouco de pretensão ninguém faz nada."

"Acho que você está exagerando um pouco. Vá com calma. Não alimente muitas expectativas."

"Não estou alimentando nada. Pelo contrário, estou escrevendo."

"Vem deitar, vem."

"Você quer foder?"

"Adivinhão."

"Só um instante. Não posso perder o *timing*."

"Você está falando muitas palavras em inglês. É de propósito?"

"Pior é que não."

"*Não interessa se é um blues, Jack. Soa bem da maneira como eles estão tocando.*"

Sam apertou o botão no console da mesa e os garotos pararam com a folia.

"O que vocês estão fazendo, caras?"

"Zoando com o blues do Crudup", respondeu o cantor. Ele tinha dentes brancos e um sorriso bonito. Mas o cabelo era ridículo, um topete que parecia uma couve-flor negra e brilhante plantada no alto da cabeça.

"Então continuem zoando. Vamos gravar."

Sam fez um sinal para que eu ligasse o gravador. Os garotos não botaram muita fé na conversa do Sam, mas fazer o quê? Ele era o patrão.

121

"Sam, como você vai vender isso? Não é blues, não é country, não é pop..."

"Cala a boca, Jack. Grave."

"Além do quê, ninguém mais grava só com guitarra e baixo hoje em dia. Isso acontecia nos anos 30. Vamos chamar um pianista, um baterista e um naipe de metais. As pessoas gostam de grandes bandas, cheias de instrumentos."

Os moleques começaram a tocar. Sam não estava mais prestando atenção ao que eu falava.

"Grava logo, Jack!"

"Engraçado, meu texto parece a tradução malfeita de um livro americano ruim."

"É porque você só lê traduções malfeitas de livros americanos ruins. Devia ler mais autores brasileiros."

"Eu tento. Mas não consigo passar da primeira página. Eles são muito chatos."

"Então leia boas traduções!"

"Como vou saber se são boas ou ruins? Não sei inglês o suficiente para comparar com as versões originais. Se soubesse, não precisaria de traduções. E mesmo que soubesse, qual é a vantagem de ler uma tradução boa de um livro ruim?"

"Como você entende as letras de rock se não sabe inglês?"

"Não há o que entender. Vou pelo som das palavras."

"Vem deitar, vem."

"Você quer foder?"

"Já disse que sim. Foder, trepar, fazer amor, tanto faz. Mas vem logo que vontade passa."

"Inspiração também. Deixa eu terminar o diálogo."

"Ele está lá, olhando."

"Ah, então é por isso. Toda essa urgência."

"Você sabe que eu gosto. Vem. Desliga esse computador."
"Vou dar um *pause*."
"Isso, dá uma pausa. Mas em português: pausa. Você devia ler Ariano Suassuna."
"Quem?"
"Esquece. Vem. Isso, assim."
"Ele está olhando, é?"
"Está. Mas não dá bandeira senão ele foge. Deita aí."
"Ele está com a luneta?"
"Claro, como sempre. Deita por baixo. Deixa eu ir por cima. Isso..."
"Luneta. Luneta. Interessante a sonoridade desta palavra: lu-ne-ta. Às vezes eu fico repetindo uma palavra e acabo perdendo a noção do que ela significa. Luneta. Buceta. Punheta. Chupeta."
"Você fala essas coisas só pra me dar tesão."
"Para de olhar para a janela. Olha pra mim, Gina!"
"Peraí, ele está batendo uma punheta. Não olha! Só eu posso olhar. Senão ele foge. A hora que ele bate é a melhor. Não posso deixar de olhar ele batendo uma punheta..."
"Tudo bem. Vira um pouquinho, mostra tua bunda pra ele. Faz a vontade dele. Assim..."
"Amor, goza comigo?"

Sam e os garotos já foram embora. Mas não consigo parar de escutar o que esses putos gravaram. Que potência! Eles inventaram alguma coisa aqui. Não sei o que é. Não existe ainda um nome para definir esse tipo de música. É sólida. Mas é volátil também. Como fogo.

30.

"*Natural! Sanduíche natural!*"
Na praia as vozes formam uma parede sólida em que não se distingue mais nenhum sentido. Palavras como tijolos sem significado. Tijolo que se preze não tem significado. A não ser *sanduíche natural*. *Sanduíche natural*, lá longe, soando ao fundo de vozes e ruídos como um solo agudo de guitarra que se destaca do meio da zoeira do baixo e da bateria e chega cristalino aos meus ouvidos. Que bela mixagem organizo do fundo da escuridão. E que péssima associação: o que tem a ver o cara gritando *sanduíche natural* com um solo de guitarra? Nada. Onde é que está o meu rock'n'roll?

O SEGREDO DO CANNOLI

1.

A primeira vez que vim ao Rio não fiquei hospedado num hostal. Acho que ainda não existiam hostais naquele tempo. Viemos de São Paulo de trem para gravar o programa do Chacrinha e a gravadora nos despejou no Hotel Novo Mundo. O Novo Mundo não é um hotel qualquer. Ao lado da porta de entrada se encontra uma placa comemorativa do milésimo gol de Pelé, que ali se hospedou com a delegação do Santos no longínquo novembro de 1969. Menos de quinze anos depois lá estava eu, com minha banda, adentrando o saguão monumental do tradicional e já então decadente hotel.

Ao contrário de Pelé, eu ainda buscava meus primeiros gols.

O Novo Mundo reina majestoso no aterro do Flamengo, ao lado do antigo palácio do Catete, onde Getúlio Vargas se suicidou em 1954. O lugar é um repositório de ilustres fantasmas pátrios, vivos ou mortos. Da varanda do quarto eu e Tiago apreciávamos a lua despontar no céu da baía de Guanabara por trás de coqueiros, buritis e outras árvores ali plantadas por Burle Marx. Não que estivéssemos sofrendo alguma crise de bucolismo. Ácidos ingeridos durante a gravação do programa do Chacrinha colocavam tudo numa perspectiva irreal, ou hiper-real, como se testemunhássemos a aparição inesperada dos jardins suspensos da Babilônia em nossa janela. Mas a contemplação lisérgica da belíssima obra de Burle Marx não duraria muito tempo. Produtores do Chacrinha — um dos mais intrigantes fantasmas pátrios, o Velho Guerreiro — cobravam pela participação de artistas e bandas no programa de uma forma bastante peculiar: shows de graça — o famoso *jabá*, você deve conhecer a expressão — em péssimas condições técnicas (fazendo *playback*, ou seja, fingindo tocar de verdade, dublando o próprio disco), nos clubes e salões de baile mais tenebrosos da terra de ninguém que era a Baixada Fluminense naquela época. *Naquela época* é ótimo. Ainda hoje eu não me arriscaria a uma voltinha por ali sem a escolta de um batalhão blindado.

As situações mais inusitadas se materializavam naquelas madrugadas ensandecidas. Desde apresentações interrompidas por obra de discos que começavam a pular nas vitrolas — as agulhas não aguentavam a trepidação dos salões quando um super-hit ("Trevas de luz", por exemplo) começava a tocar nos falantes —, até os desvios que a Kombi dirigida por algum escudeiro do Chacrinha era obrigada a efetuar quando nos deparávamos com um cadáver, os prosaicos presuntos — olha aí outro bom nome para uma banda, Prosaicos Presuntos — que surgiam magicamente à nossa frente na estrada esburacada que ligava, vamos dizer, Belfort Roxo a Duque de Caxias.

Os *breakfasts* do Novo Mundo após essas jornadas pelo coração da treva eram alegres e confraternizantes. Enquanto o sol nascia lá fora, iluminando os jardins de Burle Marx, músicos e artistas de todas as espécies se refestelavam nas mesas. Diferentes níveis de graduação alcoólica, lisérgica ou anfetamínica se dissipavam em alegre comilança. Me lembro de dividir uma mesa com Peninha, Ovelha, as cantoras do Trio Los Angeles e um dos integrantes do Gengis Khan.

Havia um roqueiro gaúcho também, mas ele dormiu na mesa antes que os ovos mexidos chegassem.

2.

Fui com Lien a um restaurante de comida a quilo no largo do Paissandu. Durante o almoço ela revelou que seu irmão Chang-Ho trabalhava numa importadora de equipamentos eletrônicos. Entendi que Chang-Ho era contrabandista. Nada de mais, o contrabando era uma tradição na família. Das mais honrosas. O pai de Lien fora contrabandista, assim como o tio e a tia, que ainda mantinham uma loja de importados na rua Augusta. A própria mãe de Lien, a dona Yong — que apesar do "dona" era bem mais jovem que eu —, sempre trabalhou como balconista em diversos estabelecimentos espalhados pela cidade.

Hoje em dia dona Yong está aposentada.

"O rock me salvou", afirmou Lien, segurando um garfo com batatas fritas espetadas à espera do momento de serem sugadas pra dentro daquela boquinha carnuda. "Senão eu estaria numa lojinha dessas, vendendo calculadora digital." E croc!, mandou as batatinhas sistema digestivo abaixo.

Nos últimos tempos Chang-Ho tinha se envolvido com alguma coisa mais séria.

"Uma treta", definiu, com a linguinha inspecionando cavidades dentárias em busca de vestígios minúsculos de batata frita. "Defina melhor. Treta é muito vago. O Chang-Ho está vendendo droga?"
"Não! O Chang-Ho não é chegado nessas coisas. Cara, pra você tudo é droga?" A pergunta me paralisou. Teria me tornado um obcecado? Não tive tempo de chegar a conclusão nenhuma, Lien seguiu falando. Ainda bem. Estou velho demais para questionamentos desse porte. "Deixa eu te explicar melhor, o Chang-Ho é uma espécie de gênio. Você não me acha esperta no computador? Pois o Chang-Ho é um megamega nerd, hacker de altíssimo nível, um zilhão de vezes mais fera do que eu. O Chang-Ho é gênio. Papo de coreano, na boa, coreano tem uma cabeça que você não entende."

Não entendia. Nem queria entender. Mal fazia ideia do que ela realmente estava falando. Pra variar, comecei a prestar mais atenção aos peitinhos roliços e inquietos sob a camisetinha suada, sempre a ostentar a foto de uma banda diferente. Agora já nem me dava mais ao trabalho de saber que banda era. Eu nunca conhecia as bandas estampadas sobre as peitchucas da Lien. Perguntei se existia alguma banda legal de rock na Coreia, mas ela achou que eu estava de sacanagem.

"Se existe banda brasileira, por que não pode existir banda coreana?", insisti.

"Esquece. A Coreia é ruim de rock. Oriental não tem pegada pra rock, você sabe disso. Conhece algum roqueiro oriental?"

Pensei em contar para Lien da vez em que, no auge da carreira, minha banda — Beat-Kamaiurá — abriu um show para Terry Terauchi no ginásio do Ibirapuera. Mas me deu preguiça.

Ela não devia saber quem foi Terry Terauchi e eu não queria perder meu tempo dando aulas particulares de rock pré-histórico japonês. Mas era preciso embasar meus argumentos, e acabei optando por outro roqueiro pré-histórico, francês, e bem mais conhecido que o Terry Terauchi: "Johnny Hallyday é considerado o Elvis da França e ele soa tão patético quanto qualquer roqueiro oriental, hispânico, português ou árabe. E olha que o Johnny Hallyday gravou com gente como Peter Frampton e Jimmy Page. O problema é a língua, não a pegada. A gente se acostumou a ouvir rock em inglês, e sempre que ele é cantado em outra língua, soa estranho".

"Estamos fugindo do assunto", ela disse.

Concordei. Digressionando, acrescentaria um escritor mais apurado.

"A questão não é essa. O que me grila não tem nada a ver com rock da França, da Coreia ou da puta que o pariu. O problema é que o Chang-Ho se envolveu com uma turma bizarra. O pessoal contrabandeia equipamento de alto nível e vende para empresas por um preço muito abaixo do mercado. Eles estão envolvidos também com falsificação e distribuição de pirataria."

Ela fez uma pausa dramática, um pouco piegas para o meu gosto. Parecia prestes a revelar ao mundo o paradeiro do Bin Laden. Ou o terceiro segredo de Fátima.

"CDs."

"CDs?"

"Acho que o Chang-Ho está envolvido também com fabricação de CDs e DVDs piratas, embora seja um negócio em vias de extinção. Mas isso me angustia pra caramba, pois é uma contradição na minha vida. Eu amo a música e os velhos discos de vinil. É por isso que trabalho na Combat Records. Mas lojas como a Combat e pessoas como eu estão deixando de existir por causa da pirataria!"

Que gracinha. Minha primeira crise existencial, ela poderia anotar à noite no seu diário coreano cor-de-rosa. Bem-vinda ao time.

"Lien, não há como lutar contra o fim do disco", tratei de tranquilizar a codorninha existencialista. "Não é culpa do Chang-Ho. Relaxa. Aproveite os últimos suspiros da indústria. Você conhece a edição comemorativa dos trinta anos de lançamento do *London calling*?" Ela não se sensibilizou com meu discurso. Aliás, ignorou-o.

"Fico chateada do Chang-Ho ter entrado nesse esquema. Ele sempre foi um cara legal, do bem."

"Toda essa crise só porque seu irmão está pirateando uns cedezinhos de merda? Que tipo de discos esses caras pirateiam? Padre Fábio de Melo? Coldplay? O mundo não vai acabar por causa disso. Quer dizer, o mundo já acabou de um jeito ou de outro, foda-se."

"Peraí, você não está entendendo. Meu irmão não é um camelô qualquer! O talento dele é muito maior do que simplesmente falsificar CDs. Eles contrataram o Chang-Ho porque precisam de gente pra montar e preparar o equipamento de ponta. Muitas vezes esses computadores chegam desmontados e é preciso entender do assunto pra conectar as peças e fazer todas as ligações. Então o Chang-Ho, que trabalhou sempre com contrabando mais pé de chinelo, como meus pais, que vendiam caixinhas de música, leques orientais e calculadoras, se envolveu com uma treta mais forte."

"Tudo bem, já entendi. O Chang-Ho é foda. Mas ainda não entendo o que a polícia estava fazendo na tua casa aquela noite."

"Os policiais já sabem do esquema e começaram a pressionar a turma do Chang-Ho. Fazem ameaças em troca de propina. Pra não levarem eles presos."

"Sei. A velha história de sempre."

"É, mas nada que assuste pra valer. A polícia pressiona, eles pagam, e assim caminha a humanidade. Era isso o que eles estavam fazendo lá em casa naquela noite. Dando uma dura no Chang-Ho. Ele teve de pagar uma grana pra polícia ir embora."
"Sei."
"O problema não é a polícia."
"Não?"
Lien deve ter se impressionado com minha cara de espanto.
"Entendo que pra você a polícia é sempre o maior problema. Mas o problema maior do Chang-Ho agora é a concorrência. Um grupo rival, também de cibercontrabandistas coreanos, está querendo se apossar do *business*. Ocupar o lugar do grupo do Chang-Ho."
"Como é o nome disso mesmo? Capitalismo?"
"Tô falando sério, meu. Tenho medo de que o Chang-Ho esteja envolvido com alguma coisa mais cavernosa."
"Como o quê, por exemplo?"
"Uma organização virtual mercenária e potencialmente perigosa."
"Uau, soa bem. Tipo o quê? Vírus devastadores destruindo a rede?"
"Mais complicado que isso. Imagine um sistema revolucionário de baixar música pela internet que faça todos os programas existentes parecerem coisa do passado."
"O que isso tem de perigoso?"
"Desestabilização do sistema. Ameaça a grandes e poderosos grupos econômicos. Um projeto que consiga substituir o Peer-to-Peer, por exemplo. Alguma coisa assim."
"Peer-to-Peer?"
"Você não sabe o que é Peer-to-Peer?"
"Tem a ver com fazer xixi em inglês, *to pee*?"
"P2P? Nunca ouviu falar?"

"Pitupi? Serve o tupy or not tupy, do Osvald?"
"Num pira, véio. Conhece o Instituto Fraunhofer?"
"Não."
"Teorema de Nyquist?"
"Conheço o do Pitágoras."
"Gnutella, Kazaa?"
"Crepe de Nutella."
"Em que mundo você vive, cara?"
"No planeta Krypton, provavelmente."
Lien não achou graça: "MP3?".
"Esse eu conheço!"
"Napster?"
"Sim! Sim!"
"I Tunes, Limewire, E mule?"
"Now you're talkin'!"
"Então. Tudo isso pode virar poeira. Por culpa do Chang-Ho."
"Ele ganharia o Nobel por isso."
"Ou uma bala na cabeça."
"Entendo. Imagino que um projeto desses desencadearia reações imprevisíveis. Posso escutar as trombetas do Apocalipse."
"Eu escuto as sirenes da polícia."
"Dá na mesma. Mais um chope?"
"Não."
Ela fez uma pausa e me olhou intrigada: "Você nunca baixou música pela internet?".
"Não. Eu mal consigo mexer num celular. O último aparelho com o qual me entendi bem foi o fax. Tudo que foi inventado depois do fax está além da minha compreensão. Saudades do fax, do videocassete e do telegrama. Já recebeu um telegrama?"
"Não."
"Acho que essa minha inadaptação a aparelhos eletrônicos é um negócio biológico. Darwin deve ter uma explicação pra isso."

"Jura? Engraçado", concluiu Lien. Mas não parecia muito feliz ou divertida. Nada que lembrasse alguém que acabou de ouvir uma piada.

"Se é tão engraçado, por que essa carinha séria?"

"É que tem uma outra coisa. Um outro problema."

"Mais um? Essa história está parecendo aquele brinquedo das bonequinhas russas, em que dentro de cada boneca há uma outra bonequinha menor."

"No caso do Chang-Ho, dentro de cada problema há um problema maior. Ele ouve vozes."

"Como assim?"

"Meu pai também tinha esse problema. Ele ouvia vozes dentro da cabeça dele o tempo todo e se afligia muito com isso. Como uma doença. O Chang-Ho diz que não é doença, é dom. Ele ouve vozes dentro da cabeça dele, como meu pai."

"Vozes?"

"Pessoas dando ordens pra ele. Meu pai estava tranquilo em casa, vendo TV, e de repente levantava do sofá, pegava a bicicleta e saía pela rua. Ia até algum lugar, um endereço predeterminado, e começava a falar coisas sem sentido com pessoas que ele nunca tinha visto antes. Ele dizia que as vozes na cabeça dele é que mandavam ele ir até os lugares e relatar coisas para as pessoas. Com o meu irmão acontece a mesma coisa. Só que ele não sai de bicicleta. Ele fica em casa, se comunicando com as pessoas pelo computador. Mas são as vozes na cabeça dele que determinam o que ele deve fazer."

"O Chico Xavier também ouvia vozes dentro da cabeça dele e virou uma espécie de santo pop."

"Meu pai não virou nenhum santo. Acho que a ideia do Chang-Ho também não é virar um santo pop."

"Talvez ele não tenha um bom senso de oportunidade. Daria menos trabalho que comprar briga com o I Tunes ou virar o Bill Gates do Cambuci. Que língua falam essas vozes?"

"Que pergunta idiota. Que diferença faz?"
"Toda. O Chang-Ho entende o que dizem essas vozes?"
"Claro. São vozes coreanas."
"Tá vendo? Se eu ouvisse vozes coreanas na minha cabeça, não saberia o que elas estão me dizendo. Nem o Chico Xavier saberia."
"Bobão. Você tem algum problema com o Chico Xavier?"
"Meu pai era espírita. O que dizem as vozes que o Chang--Ho escuta?"
"Nem sempre ele me conta."
"Tem alguma coisa a ver com o revolucionário método de baixar música na internet?"
"Não enche. Essas vozes são ancestrais. Coisa do tempo do meu pai. E do tempo do avô do avô do avô dele."
"Terry Terauchi", eu disse.
"O quê?"
"Lembrei de um roqueiro japonês. Terry Terauchi."
Não sei por quê, resolvi mudar de assunto de repente. Uma intuição, talvez.

3.

Escuto uma corneta ao longe. E as vozes. Não me preocupo mais em entender o que dizem. Ficar na praia de Ipanema de olhos fechados é como visitar Babel de dentro de uma tumba. Um casal conversa em francês. Devem ser jovens, pelo tom das vozes. A moça conclui uma frase rápida e interrogativa dizendo "Santá Terressá?". E depois repete a mesma frase, agora parecendo um pouco mais irritada e impaciente ao pronunciar "Santá Terressá?". Ao que o rapaz responde, um tanto amuado: "*Oui. Bien sûr*".

O mar, estranhamente, parou de fazer barulho. Será o *tinitus* se manifestando? Eu, entre ruídos reais e imaginários, no doce balanço a caminho da surdez? Ou estarei ouvindo esperanto? Esperando Godot com as orelhas cheias de areia? Imagine a sunga então.

Lembro da Louise Latour, minha paixão de adolescência. De vez em quando eu penso na Louise. E tento saber dela.

Antigamente procurava seu nome nas listas telefônicas. Depois da invenção da internet ficou mais fácil perseguir secretamente o paradeiro da Louise. Nunca mais nos falamos, mas tenho certeza de que ela também não se esqueceu de mim. Eu tinha catorze, quinze anos na época. Louise era um pouco mais velha. Seu pai viera da França para trabalhar em vinícolas brasileiras e passava a maior parte do tempo em Bento Gonçalves, no Rio Grande do Sul. Louise ficava com a mãe em São Paulo. Me apaixonei pela Louise, mas ela namorava um sujeito mais velho. Ou dizia que namorava, pois eu nunca vi o cara. Depois da aula pegávamos um táxi e nos beijávamos sem parar no banco de trás. Alguns taxistas protestavam e pediam que parássemos de nos beijar. Outros mandavam que descêssemos do carro. Eu era virgem naquele tempo e não tinha coragem de transar com a Louise. Ela gostava de dizer que seu namorado a considerava uma *máquina* na cama. Aquilo só aumentava meu tesão, e também minha insegurança. Como eu poderia transar com uma *máquina*? Logo eu, que de sexo só conhecia o prazer das punhetas obsessivas. Louise escrevia poesia. Aspirava tornar-se uma poeta de mimeógrafo, existiam muitos poetas assim na época. Poetas que datilografavam e mimeografavam seus poemas e depois os vendiam pelas ruas. Mimeógrafo? Meu Deus. Alguém com menos de quarenta pode imaginar que mimeógrafo é um sinônimo de hieróglifo. Ou alguma forma de tecnologia rudimentar criada no Egito antigo. Talvez seja isso mesmo. Não lembro dos poemas da Louise, a maioria deles era em francês. L. Latour era como assinava seus poemas, numa postura ambígua que não explicitava se era homem ou mulher o autor dos versos. Eram poemas concretos, que às vezes formavam desenhos geométricos nas folhas de papel. Louise amava o Rimbaud, mas também admirava os irmãos Campos e Décio Pignatari. Mas Rimbaud era o grande ídolo da Louise. Por influência dela, Rimbaud foi meu ídolo também, por um tempo. Paulo Leminski, o poeta e roqueiro paranaense, dizia que se Rimbaud vivesse nos dias de hoje tocaria numa banda de rock. Pobre Rimbaud, rock francês é uma merda. Rimbaud acabou seus dias vendendo armas na África. Morreu ainda mais jovem que Elvis, John Lennon ou Raul Seixas, aos trinta e sete anos de idade. A lembrança de Rimbaud, misturada à da Louise, me deixa melancólico no meu buraco na praia de Ipanema. Que lugar estranho para sentir melancolia. Taí, acho que a Louise foi a única mulher que eu amei de verdade. Só os inocentes podem amar de verdade. E nunca transamos. Ela acabou se mudando para Porto Alegre antes que eu tomasse coragem para penetrar a *máquina*. Talvez tenha sido melhor assim. Hoje em dia é uma senhora roliça casada pela segunda vez, mãe de três meninas, agora moças, filhas do primeiro marido. Vive em Bento Gonçalves e em nada lembra alguém que foi uma máquina na cama. Nunca mais escreveu poesia, pelo que sei.

4.

Depois do almoço no restaurante de comida a quilo no largo do Paissandu, convidei Lien para mais um passeio na roda-gigante lá de casa. Ela ligou para a Combat Records, deu uma desculpa qualquer e zarpamos para o *miniloft*. Dessa vez ela nem quis saber de camisinha. Logo que abri a porta ela já me aplicou uma gulosa ali mesmo, na sala. Ajoelhadinha, rezou o pai-nosso e a ave-maria sem tropeçar nas vírgulas, enquanto o velho sátiro aposentado lutava para não desabar por conta da moleza nas pernas. A boquinha carnuda ia e voltava, lubrificando de saliva minha jeba dura como um nabo congelado. Nunca estive tão perto de experimentar a sensação de ser boqueteado pelo Steven Tyler. Ou pelo Mick Jagger.

Tudo bem, eu podia ter pensado na Angelina Jolie, mas pensei no Tyler e no Jagger, *so what?* Sou hétero, mas um bom roqueiro sempre tem alguma fantasia na viadagem. Toda aquela ambiguidade. Já dei minhas escorregadas no passado, mas não sei se quero falar sobre isso aqui. Não agora. Voltando ao *miniloft*, lá pelas tantas avisei: "Vou gozar!". E Lien, sem tirar o caroço da boca: "Goja, goja!".

Meu fluxo narrativo inundou a cavidade bucal *made in Korea*: gojei.

Mais tarde, recarregada a bateria do *fallen phallus*, o popular falo caído — não trabalho com conexão rápida, desprevenido de viagras, estou com cinquenta anos, *please*... —, fodemos *à la* Proust, em busca do tempo perdido. Eu por cima, ela embaixo, eu por baixo ela em cima (me deu um pouco mais de trabalho), meia nove, nove e meia (seja lá isso o que for), frango coreano assado, *old rocker's delight*, enfim, o serviço completo, enquanto a poluição, as buzinas e o céu cor de laranja mofada anunciavam lá fora o fim do dia. Tudo bem romântico, *sin perder la ternura jamás*, o inevitável piço *in love*.

Depois ficamos deitados no colchão, conversando.

Lien voltou a falar sobre as vozes que atormentavam Chang-Ho. Contou que ele tinha medo de acabar como o pai. Quando era muito pequeno, o pai de Lien presenciara um bombardeio em Seul, onde morava, durante a Guerra da Coreia. Ele nunca se recuperou totalmente daquele trauma. Passou o resto da vida desconfiado de que alguém instalara um chip dentro da cabeça dele. Dizia que era obra dos norte-coreanos. Lien se lembra pouco, era muito pequena ainda, mas o irmão e a mãe comentavam de vez em quando a maneira como Yun-Li — agora entendi o nome, me lembrou por um momento um primo oriental da Rita Lee — foi ficando apático e desinteressado da vida por conta das vozes que escutava. Os surtos de ansiedade e as saídas de bicicleta foram dando lugar a uma depressão profunda. O pai de Lien acreditava que seus inimigos norte-coreanos estavam mancomunados com extraterrestres numa conspiração global para dominar o planeta. Acabou morrendo de um ataque cardíaco ainda jovem, com quarenta e cinco anos de idade.

Aquele assunto, não sei por quê, começou a me incomodar. O tal do Yun-Li era um louco de hospício e eu não queria me aprofundar na questão, perguntando, por exemplo, por que dona Yong e o pequeno futuro gênio cibercontrabandista revolucionário não internaram o maluco numa clínica psiquiátrica. Aliás, era de se perguntar por que o próprio Chang-Ho não marcava ele mesmo uma consulta com o psiquiatra mais próximo. Lien percebeu minha aflição e perguntou lá pelas tantas, numa sádica guinada de assunto: "Você ainda tem aquele chapeuzinho de marinheiro do Corto Maltese?".

E quem disse que eu achava melhor falar do meu chapeuzinho de marinheiro que do lunático coreano?

5.

Não faz muito tempo, eu estava num sebo folheando um gibi do Corto Maltese quando uma loura olhou pra mim e disse: "Tinha um cara de uma daquelas bandas dos anos 80 que era idêntico a esse marinheiro". Pela idade, uns quarenta, imaginei que ela estivesse de sacanagem. Me reconheceu, concluí, e está de onda.

"Maldade", eu disse.
"O quê?"
"Não está me reconhecendo?"
"De onde?"
"O cara que era idêntico ao Corto Maltese sou eu."
"Caraca! Você não mudou nada!"

A frase não era um elogio, era uma afronta. E os quilos engordados, os cabelos desaparecidos, a alegria perdida, o...

"Pelo contrário, ficou melhor. Aquelas roupas e penteados dos anos 80 eram muito bregas. Meu nome é Suzana, prazer."

Prazer foi o que senti depois, logo depois, uma meia hora para ser exato, em casa. Suzana e eu fomos até meu apartamento, atravessamos rapidamente a fase do estranhamento pela singeleza de minha moradia — a fase do *quer dizer que aquela grana toda, aquele sucesso todo, acabou nisso?* — e fomos logo tirando a roupa um do outro, nos beijando, abraçando, coisa e tal, você-sabe-o-resto, lambidas, chupadas, *penetration*, até gozarmos juntos na sala que também era a cozinha, o estúdio e o escritório. Depois ela foi até o banheiro — que não é longe, é logo ali, dá pra ouvir uma pessoa pensando lá dentro — e disparou: "Eu sou casada. Meu marido é teu fã. Tem todos os discos do Beat-Kamaiurá".

E então saiu do banheiro e anunciou: "Me fode de novo, come o meu cu agora".

Aquele papo do marido ser meu fã, que tinha me deixado meio culpado, deu o maior tesão na Suzana. Não pensei muito, quando me toquei já estava de joelhos — ela de quatro — atochando a rola brioco da Suzana adentro (inacreditável. Como um escritor aspira tanger alguma grandeza literária criando frases como essa?). Ainda bem que Suzana não me pediu para vestir o chapeuzinho do Corto Maltese. Havia muitos anos eu já descartara aquela relíquia constrangedora. Do jeito que sou, suscetível a exigências femininas, talvez topasse vestir aquele adereço ridículo só para satisfazê-la. Era um belo anel de couro, afinal de contas, que apareceu de surpresa no meio da tarde para alegrar minha vida sem sentido.

A história com Suzana não acabou naquela tarde.

Continuamos nos vendo sempre que dava. Ela era casada, trabalhava num escritório de *design*, nem sempre conseguia inventar desculpas que justificassem uma ida ao meu apartamento. Mas às vezes ela inventava, e era sempre bom. Até que um dia ela sumiu, não apareceu nem ligou mais. Eu tinha o número do celular dela e liguei várias vezes, mas Suzana não atendia. Eu ficava sem jeito de deixar recado na caixa de mensagens, imaginava que talvez o marido dela ouvisse, não queria criar problemas para a Suzana. Ela era legal, carinhosa comigo, me dava o cu. Então respeitei as razões dela, fossem quais fossem, para o sumiço, e parei também de procurá-la. Mas sentia saudades, às vezes. Saudades inspiradoras: cheguei a tentar musicar alguns versos do "Soneto do buraco do cu", poema composto em parceria por Rimbaud e Verlaine.

Obscuro e enrugado como um cravo roxo
Ele respira, humildemente escondido em meio ao musgo
Úmido ainda de amor que segue a doce fuga
Das nádegas brancas até o âmago de sua orla

Troquei o "ao musgo" por "à gosma", pra rimar com a "sua orla" final, mas não deu certo. A métrica era muito complexa para minha progressão básica de três acordes. Ainda tentei meter um refrão punk raivoso, gritando *Soneto do buraco do cu! Soneto do buraco do cu!* entre as estrofes, mas não funcionou. A parceria Rimbaud/Verlaine/Zanquis foi um fracasso.

Um dia, alguém bateu à minha porta. Bem cedo, eu estava dormindo ainda. Levantei sonolento, de cueca, "quem é?".

"É o Ronald."

"Ronald? Que Ronald?"

"O marido da Suzana. Abre aí, quero falar com você."

Por que nunca batiam à minha porta pessoas normais, com expectativas normais de relacionamento e comunicação? Por que, através do olho mágico, eu tinha de vislumbrar sempre enigmas, problemas, chateações? Onde estava a magia da visão de minha mãe carregando um Tupperware? Talvez o olho mágico estivesse com defeito e deformasse as pessoas não apenas fisicamente, mas psicologicamente também.

"O que você quer?"

"Abre aí, quero falar com você."
Abri a porta, fazer o quê? Quis ver o que o destino reservava para mim.
"Oi", ele disse sorrindo. Era um cara simpático, já ficando careca no alto da cabeça. Um pouco rechonchudo, mas com um rosto harmonioso. Tinha nas mãos um velho vinil do *Totem rachado*.
"A Suzana me falou de você. Desculpe invadir assim a tua privacidade. Autografa o meu disco?"
Eu ali, de cueca: "Você trouxe caneta?".
"E a câmera também. Posso tirar uma foto?"

6.

Quando Lien foi embora eu já estava dormindo. Acordei tarde da noite, picado pelo anjinho do arco e flecha. Esse mesmo, que Celly Campello imortalizou como estúpido. O velho monstro acusara o golpe. Não é que fiquei meio tocado pela Lolitinha oriental? Olhei-me no espelho. Você não tem vergonha na cara? Um perigo um tiozão idiota apaixonar-se por uma coreaninha roqueira bunduda e peitudinha de dezenove anos e lábios grossos. Aquela visão — a da minha própria face no espelho — disparou o alarme interno. Hora de tomar alguma atitude. E também de pensar seriamente em coisas como botox, *lifting*, implante de cabelos, lipoaspiração, ginástica e dieta equilibrada. Encontrei no fundo do baú de roupa suja um velho CD do Muddy Waters. Guardo meus CDs no banheiro, no mesmo baú em que armazeno roupa suja. É uma longa história, conto em outra ocasião. "*She's nineteen years old...*", cantou o velho sacana — McKinley Morganfield, mais conhecido nos puteiros de Chicago como Muddy Waters — enquanto deflorava sem pena as cordas da guitarra com seu *slide* grosso de metal. Após umas duas ou três audições seguidas do blues, eu já estava recuperado, com toda e qualquer possibilidade de pieguice romântica definitivamente eliminada de meu sistema.

Gostosinha essa coreana, viu?

No dia seguinte acordei pra lá de meio-dia, bodado. Tinha ido dormir já com o dia claro. Me arrastei até a cozinha em busca de água fresca. No caminho encontrei um envelope no chão. Alguém o passara pela fresta da porta durante a manhã. Dentro, um bilhete e um pen-drive.

O bilhete:

Teo, não tenho tempo pra explicar. Guarda esse pen-drive pra mim, por favor. Guarda bem. E não fale sobre isso com NINGUÉM. *Depois te explico a treta.* Hey, ho, let's go! *Beijo da Lien.* PS1: *destrua este bilhete!* PS2: *não adianta tentar ver o que tem no pen-drive, você não vai entender nada. Esquemas geométricos, quase tudo em coreano, tirando algum linguajar técnico em inglês.* PS3: *vamos repetir a dose qualquer hora...*

Cultura cinematográfica: "*Leave the gun, take the cannoli*" é a fala do mafioso Clemenza numa cena de O poderoso chefão, instruindo um comparsa logo após um assassinato. Deixe a arma, pegue o *cannoli*. *Cannoli* é um doce siciliano. É, na minha opinião, uma das melhores frases já escritas para o cinema. Sabe quanto vale a minha opinião? Picas. Pensei nisso enquanto lia o bilhete. Pense você também. Não no fato de a minha opinião valer picas, mas na frase do Clemenza.

Joguei fora o bilhete, guardei o pen-drive.

7.

Todo dia de manhã dou uma fuçada no computador do hostal em que estou hospedado em Ipanema. Sabe o que é um hostal? Vamos lá, um verniz de cultura hoteleira não vai comprometer a narrativa: hostal é uma espécie de hotel barato, frequentado por gente descolada e de espírito sofisticado, porém com pouca grana. Eu, por exemplo. O conceito nasceu na Espanha, mas existem hostais pelo planeta todo. No Brasil alguns hostais são chamados de hostel. Prefiro hostal. Gosto da sonoridade da palavra *hostal*, soa como uma mistura de hotel com hospital. Tem lugar melhor? O acolhimento luxuoso e a amabilidade *fake* de um hotel, acrescidos da eficiência asséptica, impessoalidade científica e aquela sensação revigorante — só encontrável em hospitais — de saber que a morte, em alguma hora, *vai* chegar.

Hoje de manhã bem cedinho, antes de vir à praia — depois de mais uma noite de insônia, cheguei aqui com os primeiros raios de sol e os escassos *joggers* madrugadores —, consultei o computador, como tenho feito todas as manhãs nos últimos cinco dias. Não encontrei o que procurava. Cheguei também, em vão, as folhas policiais dos principais jornais de Rio e São Paulo, logo se saberá por quê. Em breve se compreenderá também o motivo de, na hora de preencher a ficha no hostal, eu ter escrito um nome falso, Teo Ramone.

Ramone é um nome de estirpe, um sobrenome real na cultura rock'n'roll. Segundo a lenda, foi o próprio Paul McCartney quem inventou o sobrenome ao registrar-se em hotéis como Paul Ramón para despistar o assédio de fãs. Anos depois, em 1974, quando alguns garotos de Nova York se juntaram para formar uma banda, um deles (Dee-Dee) se lembrou da história de Paul McCartney e assim nasceram os Ramones, considerada por muitos a banda inventora do punk-rock. Os Ramones assumiam o sobrenome como se fizessem parte de uma mesma família, usando cortes de cabelo parecidos, com franjinhas anacrônicas quase ridículas, e só se apresentavam de calças blue jeans rasgadas, tênis e blusões de couro.

No hostal há vários turistas gringos. Alguns deles me lembram os Ramones despidos dos uniformes: branquelos cabeludos de sunga. Nenhum vestígio de rebeldia ou inconformismo. Não se fazem mais Ramones como antigamente. Ou é a minha percepção das coisas que está se transformando. O tempo foi endurecendo meu coração. E amolecendo outros músculos menos vitais. Normal, acontece com todo mundo. Mas se tem uma coisa ainda capaz de me abalar é choro de criança. Do meio da zoeira sonora praiana um choro de criança se destaca. Sinto a espinha congelar, não gosto de ouvir criança chorando. Aliás, faz tempo que estou sentindo um friozinho estranho. Na praia, são inúmeros os motivos que podem levar uma criança a chorar. Perder-se dos pais é a possibilidade que mais me aflige. Criança sem os pais entra em pânico.

Sei o que é isso.

8.

Meu primeiro parceiro, o Rosemberg, casou muito cedo. Formávamos uma dupla de roqueiros, e essa formação nunca deu certo no Brasil. Em lugar nenhum, aliás. Tirando Simon e Garfunkel, os pseudoirmãos aloprados do White Stripes, e os irmãos genuínos — embora esquizoides — do Jesus and Mary Chain, alguém se lembra de alguma outra dupla? Não valem duplas sertanejas. Essas existem aos montes, infelizmente não só no sertão. Jane e Herondy também não conta, não era exatamente uma dupla rock'n'roll. Assim como Antonio Carlos e Jocafi, Sandy e Júnior e Kleiton e Kledyr. Você se lembrará de trios: Peter, Paul and Mary; Sá, Rodrix e Guarabira, Emerson, Lake and Palmer. E quartetos: Crosby, Stills, Nash and Young e Mammas and Pappas — MPB 4 e Quarteto em Cy não valem. Duplas são raríssimas.

A dupla com Rosemberg foi minha primeira incursão profissional como músico, alguns anos antes de conhecer o Tiago e criarmos juntos a Beat-Kamaiurá.

Rosemberg e eu nos sentíamos como dois poetas beats anacrônicos e deslocados, emulávamos Jack Kerouac e Allen Ginsberg com toques de Rimbaud e Verlaine, e tínhamos a pretensão de espalhar poesia revolucionária, elétrica e iluminada pelo Brasil afora. Zanquis e Rosemberg distribuindo suas pérolas aos porcos, dadivando a massa com suas *fines herbes* musicais. Com essa proposta tão inovadora quanto megalomaníaca, pra não dizer *naïve*, não é de estranhar que nossa dupla não tenha durado muito. Seis meses, se tanto. Fizemos alguns shows em São Paulo, São Bernardo do Campo e Itajubá. Nosso auge aconteceu no Sindicato dos Metalúrgicos de São Bernardo do Campo, num evento de apoio a uma greve organizada pelo Lula. Os operários, sindicalistas e futuros ministros e presidente da República devem se perguntar até hoje o que aquelas duas bichinhas burguesas faziam ali, esgoelando versos desafinados e sem sentido. Sinceramente, eu não saberia responder. Não faço a menor ideia de como conseguimos a *gig*. Se bem que naquela época tocaríamos com prazer até em banheiro de rodoviária. No final da apresentação recebemos alguns aplausos tímidos. Tudo pela causa, devem ter pensado os grevistas. Mas depois que fomos impiedosamente vaiados num festival de rock em Itajubá, Minas Gerais, Rosemberg e eu ficamos próximos de decretar o fim de nossa empreitada. Ainda assim, nenhum dos dois teve coragem de admitir que nosso projeto fracassara. O golpe fatal veio quando o Rosemberg me comunicou que a Maria Amélia, sua namorada, tinha engravidado e eles se casariam. Isso queria dizer que ele estava abandonando a carreira artística. Até hoje acho que o que realmente determinou o fim da carreira do Rosemberg foi que ele percebeu que estava ficando careca. Mas naquela época ele ainda disfarçava bem e ostentava um incrível cabelo louro e cacheado, como o do Robert Plant.

Maria Amélia e Rosemberg se casaram e logo tiveram um filho, o Allen Rosemberg. Não preciso dizer que poeta homenageava o pobre inocente. Apesar de morta a dupla, nossa amizade ainda durou um pouco mais. Uma noite o Rosemberg me ligou, pedindo que eu olhasse o Allen enquanto ele e a Maria Amélia assistiriam a um filme do Win Wenders num festival de cinema. O filme seria exibido somente naquela noite e eles não podiam perder um filme do Win Wenders, ídolo máximo da Maria Amélia. Maria Amélia era metida a cineasta, adorava assistir filmes insuportavelmente chatos de Eisenstein e Griffith, e geralmente o Rosemberg conseguia escapar dessas sessões de tortura com alguma desculpa, mas naquela noite ele estava com medo de que o Win Wenders — que estaria presente em carne e osso à sessão — acabasse comendo a Maria Amélia caso ela aparecesse desacompanhada ao cinema, tamanha a devoção da jovem esposa pelo cineasta alemão. Argumentei com o Rosemberg que eu entendia o problema dele, mas que eu não tinha jeito com bebês, nunca cuidara de nenhuma criança com menos de dezesseis anos, e as de que eu eventualmente cuidava sabiam muito bem como trocar as próprias fraldas. Mas o Rosemberg implorou, disse que todas as outras possibilidades tentadas deram em nada — a mãe dele e a sogra também tinham compromissos —, que estava sem grana para bancar uma baby-sitter e, além do mais, o Allen dormia como um anjo e não despertaria antes que eles voltassem do cinema. São só duas horas, cara, ele argumentou, e lá fui eu cuidar do Allen.

 O pequeno protoginsberg se comportou muito bem durante exatamente uma hora e quarenta e cinco minutos, dormindo como um diabinho cansado. Fiquei alguns minutos admirando o rostinho macio do menino, com cabelinhos cacheados de anjo, como os do pai. De repente despertou aos urros, qual um Johnny Rotten furioso, e eu passei os piores vinte minutos de minha vida tentando fazer o pequeno filho da puta calar a boquinha. Fui salvo pela chegada do casal. Maria Amélia foi logo abrindo a blusa, de onde saltaram dois melões carnosos espirrando leite, com veias azuis aparecendo sob a pele. Rosemberg correu para o banheiro, estava "apertado", explicou Maria Amélia, e eu fiquei contemplando o doce mamar do pequeno monstro, agora apaziguado. Também, com aqueles dois peitões na boca, até eu. O Rosemberg voltou do banheiro com o cabelo preso num rabo de cavalo e uma expressão aliviada no rosto. Logo depois o Allen adormeceu e ficamos na sala conversando. A Maria Amélia estava estranha, excitada, falando sem parar do filme do Win Wenders. Abriu uma garrafa de vodca. Planos, contraplanos, sequências e uma infindável lista de termos sem sentido me entraram por um ouvido e saíram pelo outro. Notei que ela me olhava de um jeito diferente. O Rosemberg também. Não sei se eram olhares de gratidão, ou se estavam preocupados em como me dizer que não me pagariam um centavo pelo baby-sitting. Com o tempo — e a vodca —, fui relaxando. Conversamos sobre muitos assuntos. Nada de que eu me lembre uma vírgula. Não sei como, quando dei por mim estávamos os três pelados no chão da sala.

 Não adianta culpar a vodca. Eu tinha ficado com tesão quando vi as tetas leitosas da Maria Amélia — na verdade eu sempre tive uma curiosidade incontrolável de ver as namoradas de meus amigos peladas —, e o Rosemberg, sei lá por quê, começou a incentivar aquela situação. Devia ser o seu complexo de Verlaine se manifestando. Resultado: nós dois comemos juntos a Maria Amélia, cujos espetaculares melões vertiam de vez em quando um minúsculo veio leitoso que lambíamos sequiosos, e acabamos dando umas pegadas um no pau do outro. Nada muito intenso. Pequenas bombadas rápidas e amigáveis, uma congratulação corriqueira de machos agradecidos que me permitiu constatar, aliás, que meu amigo era circuncidado. Houve também um selinho inesperado quando nossos lábios se encontraram por acaso em rota de colisão por entre os montes pascais da Maria Amélia. Pelo menos até onde a vodca me permite lembrar, a coisa se deu assim.

Santa vodca.

9.

Resolvi dar uma passada nas galerias do centro. Estava curioso com o bilhete enigmático da Lien. Aparte rápido, como um sussurro ao pé da orelha: de agora em diante, usarei linguagem cifrada em nossa comunicação. Sim, a *nossa* comunicação, minha e sua. Chamarei o pen-drive da Lien de cannoli. Será o nosso segredo. Sei que parece paranoia, ou idiotice pura e simples, mas você entenderá minhas razões mais tarde. Todo cuidado é pouco, do jeito que as coisas andam. Mesmo que não haja nenhuma plaquinha de "sorria, você está sendo filmado" à vista, pode ser que uma câmera secreta esteja registrando tudo o que me acontece, sei lá. Não se esqueça, então: daqui pra frente, onde estiver escrito cannoli, leia pen-drive. Cannoli, oi!, igual a pen-drive. O.k.?

Como é bom poder dividir um segredo com um estranho, não?

Bem, além da curiosidade com o bilhete, eu também estava com saudades da Lien. Claro. Mas acima de tudo queria saber que conversa era aquela de ser nomeado guardião de um cannoli com sinistros e indecifráveis caracteres coreanos. Fiquei com medo de que a Lien fosse uma alienígena incumbida de me implantar chips no cérebro, com o intuito de me fazer ouvir vozes. Até aí, tudo bem. O problema é se não houvesse tradução simultânea, ou um ícone de idiomas em algum lugar, e eu fosse condenado a ouvir vozes coreanas me dando ordens que eu jamais compreenderia.

Olhei-me no espelho antes de sair e achei minha cara envelhecida. Fora isso, não parecia alguém que tivesse um chip alienígena implantado no cérebro.

10.

Na Combat Records, um vendedor que só se comunicava por monossílabos conseguiu, depois de muito esforço, dizer que a Lien não estava mais trabalhando lá.
"Como assim?", perguntei.
"Problema na família, véio", ele respondeu. E mais não disse, talvez porque lhe faltasse vocabulário.
A coisa começou a ficar esquisita depois disso. Os maus presságios continuaram a se apresentar no trajeto para casa. Voltava a pé e parei num sebo perto da avenida São João. Fiquei olhando discos e livros até o dono dizer que estava fechando a loja. Eu já ia saindo quando ele disse: "Ei, espera aí!".
"O que foi?"
"Você está levando alguma coisa?"
"O quê?"
"Pegou algum CD?"
"Se tivesse pegado eu pagaria."
O cara me olhava desconfiado. Levantei os braços.
"Pode me revistar."

"Deixa quieto", ele disse. E voltou pra dentro do sebo com cara de quem não estava totalmente convencido de que eu não o tinha roubado. Aquilo me irritou. Que o fracasso estivesse estampado na minha cara há muito tempo, tudo bem. Mas eu não tinha chegado a ponto de roubar CDs. Nem de música eu gosto mais! Aliás, nem sei por que tinha parado naquele sebo de merda. Se tiver de roubar alguma coisa, vou roubar comida, pra não morrer de fome. Quem precisa de CD para sobreviver? Ele, não eu!

Sei lá, aquilo me grilou.

Cheguei ao meu prédio, o Santa Genoveva — no letreiro está faltando o primeiro *e*, portanto o nome atual do edifício é Santa Gnoveva, o que, a um olhar desavisado, míope, poético ou etílico, pode dar a impressão de que vivo num lugar chamado Santa Gonorreia. Vi uma ambulância estacionada em frente à portaria. O porteiro não se encontrava na mesa ao lado do elevador. Subi até o nono andar e dei de cara com uma movimentação nervosa no corredor. A porta do apartamento 91 estava apoiada na parede. O porteiro e os paramédicos haviam arrombado a porta do apartamento de dona Gladys. Dois paramédicos carregavam uma maca. Lady Gladys estava de camisola na maca, desconjuntada. Os peitos murchos aparecendo, como maracujás velhos despencando de uma bandeja. Ou escalpos pré-colombianos escorregando para fora da vitrine numa mostra antropológica. Notei desânimo e indiferença nos paramédicos.

"Já era", disse o porteiro. "Morreu."

Os paramédicos confirmaram.

"Morreu", repetiu um deles. "Ela ligou para o hospital pedindo socorro, disse que estava passando mal. Quando chegamos aqui já tinha morrido. Tivemos de arrombar a porta. Você é alguma coisa dela?"

Olhei de novo a porta encostada na parede do corredor.

A porta da dona Gladys não tinha olho mágico. Nunca tinha notado esse detalhe.

"Vizinho."

Entrei no elevador junto com os paramédicos. No trajeto até o térreo, mirei a face magra e morta de dona Gladys e tive a impressão de que ela mexia os lábios. Sei que ela não podia estar mexendo os lábios, mas tive essa impressão, e parecia bem real. Fiquei atento, paralisado, olhando fixamente para os lábios mortos de dona Gladys. Tenho quase certeza de que ela sussurrou *Li-en*. Sei que ela não pode ter sussurrado *Li-en*, que se saiba mortos não sussurram *Li-en*, mas uma licença poética — ou já algum sintoma precoce do Alzheimer que certamente herdarei de mamãe — se manifestou ali. Se dona Gladys, a maluca, mesmo morta me sussurrou *Li-en*, alguma coisa eu devia fazer a respeito. Tentei entrar na ambulância, não para uma consulta, mas para acompanhar dona Gladys. Os paramédicos não permitiram.

"Só se for parente. Vizinho não pode acompanhar."

11.

Um tapete azul, desbotado e vagabundo. Furado. Uma barata saindo do furo do tapete. Eu olho pra ela, ela olha pra mim, balançando as anteninhas. Ela sai correndo, eu não consigo me mexer. Ponto pra ela. Tento mover a cabeça. Só a cabeça. Eu tenho uma cabeça! Dói. Luz do sol entrando pelo vitrô da janela. Eu tenho um olho! Dói. Eu tenho outro olho e também dói. Deitado no chão, sento. Melhor: tento sentar. Minha cabeça bate na bancada de fórmica branca. Agora não doeu. Anestesiada? Levanto. Dá trabalho. Eu tenho um corpo! Inerte. Eu chego lá. Vejo meu rosto no grande espelho sobre a bancada de fórmica branca. Eu tenho um rosto! Horrível. Mas ainda maquiado. O discreto charme das rugas secas, maquiadas e decadentes. As lâmpadas em torno do espelho estão acesas. Faltam algumas lâmpadas. Dormi no camarim! Cheiro de mofo. Garrafas vazias sobre a bancada de fórmica branca. Cerveja, uísque, água. Água! Dou um gole, áááá! Vodca! Cuspo. Copos de plástico. Café frio. Bitucas de cigarro. Uma ponta de bagana. Embalagens vazias de cordoamentos de guitarra. Uma carteira de identidade. Eu tenho uma identidade! Errado, não é a minha. Eliane Maria Gonçalves. Então era esse o nome dela. Uma baqueta quebrada. Uma poltrona de plástico imitando couro. Sento na poltrona. Cansado. Uma porta. Uma porta fechada. Me arrasto até a porta. Eu tinha um fígado! Já era. Abro a porta. Um corredor. Técnicos carregando caixas de som e refletores de luz. Olhares curiosos, respeitosos e subalternos. Silêncio, lorde Vader acaba de despertar. Uma porta no final do corredor. Abro a porta. Sol do meio-dia! Áááááá! Sobrevivo. Um caminhão estacionado, carregado de equipamento. O nome de minha banda estampado na carroceria. Temos que rever esse leiaute. Ultrapassado. Uma buzina. Uma rua. Uma rua movimentada. Uma cidade. Uma cidade grande. Tremo. Carros, pessoas, ônibus. Eu ando. Trôpego. Vomito na calçada. Uma mãe desvia o carrinho do bebê. Olhar de nojo. Fazer o quê? Se até os bebês também vomitam, querida. Mamãe franze a testa e apressa o passo. E então me reconhece. É você mesmo? Sorrindo. Acho que sim. Tudo bem? Acho que não. Passo a mão na boca. Gosto de bile na garganta. Sou um sucesso e tenho um sistema digestivo podre. Um táxi. Táxi! Entro no táxi. Pra onde? Pausa. Pra onde?, repete o motorista. Pausa, pausa, pausa. Como era mesmo o nome do hotel?

Passei uns dias na merda depois da morte de dona Gladys. Tomei um porre de *steinhäger* com cerveja. Acordei de ressaca, vomitei. Escrevi um conto sobre um astro decadente de rock que desperta no camarim depois de uma noitada após o show. "Um tapete azul, desbotado e vagabundo". Passei por uma situação parecida, pra não dizer idêntica. Foi depois de um show da Beat-Kamaiurá, faz muitos anos, em Ribeirão Preto, se não me engano. Ou Londrina, não tenho certeza. Maringá, talvez? Virei a noite no camarim, saí do ginásio já com a luz do dia, manhãzona braba. Quase vomitei em cima de um bebê que passava na calçada dentro de um carrinho empurrado pela *mummy*. A banda já estava em franca decadência na época. Músico decadente é como marido traído, sempre o último a saber. Primeiro os críticos percebem, e começam a detonar o teu trabalho. Depois o público para de comprar os teus discos. Por último, abandona os teus shows.

Teus, não. Meus.

Fiquei bem abalado com a morte de dona Gladys. Escrevi o conto, mas achei ruim, triste, e não era a minha voz. Eu lia e relia o conto e não ouvia a minha voz. Cadê a minha voz, porra? Rouquidão literária é foda. Vomitei de novo. Resolvi visitar minha mãe. Engraçado, sempre que vomito, lembro da minha mãe.

12.

"Meu pai era um homem bom", diz a voz masculina. É uma voz serena, como a do Paulinho da Viola. "O problema dele foi a birita. A cachaça matou meu velho."
"A cachaça é punk", concorda o interlocutor, voz de homem, mais jovem. O discípulo.
"Não é a cachaça. É a dor de dentro", elucida o sábio. É, o cara é sábio. A voz, pelo menos.
"Fez quanto?", interpela o rapazote, mudando de assunto, provavelmente por incapacidade de levar adiante uma conversa mais profunda. A dor de dentro não é para qualquer um. Não para um discípulo.
"Porra nenhuma. O mate deu mais um pouco. O biscoito sobrou quase tudo. E tu?"
"Merreca."
Vendedores de mate e de biscoito de polvilho na praia, já no fim da tarde, descansando de uma jornada dura — e pelo visto pouco proveitosa — de trabalho.
"Muito calor."

"Ô."

"Calor demais. *Global warming*, tá ligado?"

"Ei", diz o discípulo. "E essa figura aí?"

"Que figura?"

"O sujeito deitado com o rosto na areia."

"Pela cor da pele, deve ser gringo", conclui o sábio.

"Parece morto", observa o discípulo.

"Morto nada. Deve estar de porre. Vai ter que passar muita pomada nessas costas."

"Será que não tá morto? Tá queimado, é verdade. Mas meio pálido, apesar de vermelho. Mataram um cara lá na favela outro dia. Ficou da cor desse gringo."

"Morto nada. Esses gringos vêm pra cá e aprontam geral. Pagam uma mixaria pra sair com essas piranhas que ficam dando mole na praia. Enchem o rabo de caipirinha, dão umas cafungadas e no dia seguinte ficam assim, de bode", analisa o sábio.

"Sei não. Vou dar uma catucada nele."

Tô vivo!, penso de dentro do meu buraco na areia. Não precisa me catucar não. Entretanto não emito nenhum ruído. Falta de treino.

"Deixa quieto", alerta o sábio. "Tu cutuca o gringo, depois ele te denuncia por agressão."

"Tudo bem aí?", confere o discípulo.

Tudo, penso comigo mesmo. É só a dor de dentro.

"Deixa quieto", repete o sábio vendedor de mate. "Esse aí deve ser paulista. Pela cor da pele é paulista. Eu conheço pele de paulista. Parece pele de morto, mas não é. É pele de paulista."

E me manda um recado, em alto e cristalino som: "Tuas costas estão vermelhas pra cacete, irmão. É bom dar uma olhada nisso depois".

13.

Embarquei para Alzheimerland num táxi. Rodamos até Cotia, num percurso dificultado por congestionamentos intermitentes, calor insuportável — ao contrário do Rio de Janeiro, os táxis de São Paulo operam quase sempre sem ar-condicionado — e o papo chatíssimo do motorista. Um homem feliz é sempre um chato. O sujeito era um poço de felicidade, um negócio verdadeiramente insuportável. Não parou nem por um segundo de dizer como era agradecido a Deus pela bela família, pelos esforçados filhos — ambos formados — e pelo abençoado trabalho. A Hiena não parava de sorrir nem quando estávamos parados havia vinte minutos, sob um sol apocalíptico, no meio de uma avenida desolada recendendo a asfalto derretido, em que carros estagnados ao lado forneciam a única distração. Minha mãe sempre dizia que só os burros são felizes. Quando o Felizão ameaçou ligar o rádio numa estação evangélica, quase tive um surto.

"Sou alérgico a música", eu disse.

"Se quiser, sintonizo num canal de notícias."

"Não."
Quanto mais eu expressava meu mau humor, mais radiante ficava o Felizardo.
No fim das contas, concluí que ele era um sádico. Paguei a corrida, o que me fez lembrar de que cada vez eu estava um pouco mais duro, desiludido e inflexível, e entrei no asilo, quero dizer, casa de repouso. O taxista alegre tinha me enchido de tal maneira a paciência que quando vi minha mãe quieta, ensimesmada, sentada numa cadeira na varanda, olhando para o chão, fiquei aliviado. Um pouco de tristeza era tudo de que eu precisava naquele momento.
Ela *não* me recebeu dizendo: "Padre Celso, que bom que o senhor veio me ver!". Na minha visita anterior minha mãe tinha dito isso e eu fiquei puto. Me confundir com algum padre Celso da vida era o fim. *The end.* Mas agora foi pior. Ela não disse nada, nem me reconheceu. Nem sequer me notou. Continuou mirando o chão com uma cara triste. Senti saudades do tempo em que eu era confundido com padre Celso, seja ele quem for. Não me lembro de nenhum padre Celso. Bem, talvez eu já esteja apresentando minhas próprias lacunas de memória, por que não? Puxei uma cadeira, sentei ao lado da minha mãe, beijei-a, falei com ela. Disse que dona Gladys tinha morrido. Nenhuma reação. Expliquei que estava namorando uma menina coreana de bunda afro, mas ela tinha desaparecido. Sem comentários. Perguntei do meu irmão. Minha mãe não disse nada. Lembrei da vez em que fui preso, aos catorze anos, depois de matar aula para comprar ingressos para um show do Made in Brazil na Tenda do Calvário, uma casa de rock que funcionava no subsolo da igreja do Calvário, em Pinheiros. No meio da tarde de uma sexta-feira, enquanto o Made ensaiava no teatro, eu e Louise, uma colega de escola por quem me apaixonara, aguardávamos na fila para comprar os ingressos para o show que aconteceria

no dia seguinte. Vimos de repente os membros do Made in Brazil saindo apressados lá de dentro. Não acreditei que os caras — meus ídolos — passavam por mim em carne e osso, ao alcance da mão: os lendários irmãos Osvaldo e Celso Vecchione, respectivamente baixista e guitarrista do Made, acompanhados de Cornelius Lúcifer, o ambíguo e carismático cantor *glitter* da Pompeia. Logo em seguida a polícia chegou e prendeu todo mundo. Havia um sujeito vendendo ácidos lisérgicos lá dentro. Os policiais não acreditaram que eu e Louise estávamos ali só para comprar ingressos para o show. Fomos todos levados para o DEIC, a cavernosa delegacia de investigações criminais. Vivíamos numa ditadura militar na época, o que tornava tudo mais emocionante e dramático. Como éramos menores de idade, fomos soltos mais tarde, à noite. Quando cheguei em casa, minha mãe chorava. Tinha ficado preocupada com meu sumiço, como qualquer mãe ficaria. Meu pai estava viajando e meu irmão ficou me olhando com uma cara sacana, rindo de mim sem deixar minha mãe perceber que ele ria. Lembro com muita nitidez do rosto da minha mãe chorando naquela noite. Agora, no asilo, havia outra pessoa à minha frente. Era a minha mãe, mas não era. Dá pra entender? Tentei fazer que ela se lembrasse do episódio da prisão na Tenda do Calvário, falei sobre aquela noite há quase quarenta anos, mas minha mãe não disse nada. Nem moveu os olhos, como se não fizesse ideia de que eu estava ali. Pensei que ela estava mais morta do que a dona Gladys. Olhei para o chão, algumas formigas passavam carregando pedaços minúsculos de folhas. Mas percebi que minha mãe não olhava para as formigas. Ela não olhava pra lugar nenhum.

14.

Depois de escrever um conto horrível, visitar minha mãe morta-viva no asilo e deixar de comparecer deliberadamente ao enterro de dona Gladys, tomei uma decisão importante: liguei para a Combat Records. De novo me informaram que Lien tinha ido embora e não explicaram o motivo, problema na família, véio. Não era o mesmo monossilábico do outro dia, mas era alguém que também me chamava de *véio*. Depois de desligar o telefone, peguei o cannoli e olhei pra ele como se fosse o estilhaço de um meteorito que tivesse viajado por milhões de anos pelo espaço até cair por acaso na minha janela.

Guardei o cannoli no bolso e decidi procurar Lien pessoalmente.

Na Combat Records, um daqueles vendedores descerebrados que só me chamavam de *véio* me disse que a Lien tinha saído de férias.

"Não era um problema na família?", perguntei.

"Os dois."
"Como assim, os dois? Ou você está com problema na família ou sai de férias. Não dá pra sair de férias com problema na família."
O idiota me olhou como se o idiota fosse eu: "Não?".
"Não."
"Sei lá, véio", ele disse, rindo. E voltou a jogar um *game* que tinha nas mãos.
Pedi para falar com o gerente da casa, e ele: "Eu sou o gerente".
"O dono, então."

Falei em seguida com o dono da Combat Records pelo telefone. O gerente débil mental fez a ligação. Pela primeira vez ali alguém não me chamou de véio. Me chamou de *brother*.
"*Brother*, na boa, a Lien disse que estava com uns problemas na família e eu dei folga. Daí apareceram uns japas perguntando por ela."
"Japas? Não seriam coreanos?"
"Tudo igual, meu. Olho puxado. Eu avisei a Lien que tinha uns japas atrás dela. Então ela pediu pra tirar umas férias. Começo do ano o movimento é fraco, dei as férias. Veja bem, não é que eu dei as férias porque eu sou legal, entende? Eu tava devendo férias pra ela."
"Sei."
"Eu não saio dando férias só porque o funcionário pediu."
"Tá certo."
"Tá querendo falar com ela?"
"É."
"Procurando algum disco? Chegou um ao vivo do Procol Harum. Raridade. Se liga em Procol Harum? *Whiter shade of pale?*"

"Não, não. Obrigado. Procol Harum é uma merda."
"Tá certo. É isso. A Lien saiu de férias. Não sei se tem alguma coisa a ver com os japas procurando ela."
"É."
"Chegou um pirata do The Jam, gravado no CBGB no comecinho dos anos 80. Do caralho."
"Sei."
"Faço um preço especial pra você. Freguês, sabe como é."
"Obrigado. Numa outra hora. Preciso encontrar a Lien."
"Tu conheceu o CBGB, *brother*?"
"Conheci."
"Foda. Tocou lá?"
"Não. Assisti a um show do Black Crowes, uma vez. Ninguém conhecia o Black Crowes naquela época."
"Hoje em dia quase ninguém mais conhece o Black Crowes."
"Pra você ver como são as coisas."
"O eterno retorno, tá ligado?"
"Tentando."
"E como foi o show?"
"Que show?"
"Do Black Crowes no CBGB."
"Bom. Do caralho. Eu acho. Não lembro muito bem. Muita cerveja."
"Tô ligado. O CBGB fechou."
"Ouvi dizer."
"Uma merda."
"As coisas fecham um dia."
"Taí, é verdade. Eu mesmo não sei quanto tempo ainda vou aguentar com a Combat. Por que você não vai até a casa da Lien?"
"Você tem o endereço?"
"Não. Acho que ela mora no Cambuci."

* * *

O Cambuci não é exatamente um bairro que eu conheça. O Tucuruvi, por exemplo, eu conheço. Minha avó morava lá. Gotham City me é mais familiar do que o Cambuci. Nas esquinas de Patópolis eu me sentiria mais à vontade do que no Cambuci. Caminho com mais propriedade pelo Village de Nova York do que pelo Cambuci. E pelas ruelas soturnas das cidades de Krypton. Na noite em que levei Lien para casa, depois que trepamos pela primeira vez, eu tinha bebido demais e quem deu todas as informações ao taxista foi ela. Não prestei atenção no caminho, pois estava prestando atenção na Lien. Principalmente depois que ela repousou a mãozinha na minha pica. Além disso, com ou sem mãozinha na pica, minha memória já anda dando sinais de fadiga. Não sei se foi o THC armazenado a torpedear neurônios combalidos, ou uma propensão genética — mamãe continua lá, em Alzheimerland, com o olhar perdido de uma Penélope demente a mirar o oceano de pedra —, ou o cansaço do material, a validade vencida, um certo desencanto com a dinâmica do tempo, um esfumar das ilusões, a perda do passo, o ganho de peso, ou tudo isso junto. O fato é que eu não lembrava de nada.

Cambuci e Mumbai eram a mesma merda pra mim.

15.

A má notícia é que o pó tinha acabado.

A boa, estávamos em Presidente Prudente, rota dos contrabandistas e traficantes que saem do Paraguai e Mato Grosso pra desovar mercadorias no estado de São Paulo. Eu dividia o quarto com o Tiago, e ele também não cogitava fazer o show de cara limpa. Ligamos pro nosso *roadie*, Billy, o pragmático, e ele conseguiu o telefone do traficante.

"O nome é Toshiro", disse Billy.

Toshiro chegou duas horas depois. Eu nunca tinha visto um traficante japonês. Baixinho, bem-vestido, gel no cabelo. Entrou carregando uma mochila e um estojo de guitarra.

"Vai fazer um som?", perguntou Tiago.

"Não. É a minha metralhadora."

O trafica tinha bom humor. Jogou o estojo em cima da cama e abriu a mochila. A TV ligada sem som mostrava uns caras esquiando na neve. Sempre que entrávamos num quarto de hotel, a primeira coisa que o Tiago fazia era ligar a televisão. Dizia que televisão ligada é como lareira acesa.

"A neve", disse Toshiro, balançando o saquinho plástico cheio de pó. Senti uma contração no intestino. Toshiro percebeu.

"Deu vontade de ir ao banheiro?"

Fiz que não. Mas tinha dado.

"Não vai cagar na calça, hein?"

Engraçadinho, o trafica.

"Tem um prato?", ele perguntou pro Tiago.

Tiago colocou o violão sobre a mesa, virado com as cordas pra baixo.

"Bate no violão. É mais prático."

Tiago tinha desenvolvido a técnica ao longo dos anos. Preparava as carreiras de cocaína nas costas do violão. Nem sempre dava pra esperar o *room service* entregar um prato limpo. Cheiramos algumas linhas. Tiago pegou o violão e começou a tocar a intro de "Should I stay or should I go". Reflexo condicionado. Ele sempre fazia isso depois que cheirava.

"Quanto é?", perguntei.

"Eu tenho outra mercadoria", anunciou Toshiro.

"Fumo?", perguntou Tiago, sem parar de tocar.

Toshiro tirou da mochila um outro saquinho plástico.

"Haxixe."

"Quando morei em Portugal, eu só fumava haxixe", disse Tiago. "Lá é difícil encontrar fumo."

"Este aqui veio de Barcelona", disse Toshiro.

Incluímos o haxixe na conta, por que não? Depois do show alguma coisa teria que nos fazer dormir.

"Quanto é?", repeti, dando sinais da impaciência que sempre me acometia depois de cheirar pó.

"Eu tenho mais", insistiu Toshiro.

"Mais haxixe?", perguntou Tiago.

"Não", respondeu, cheio de suspense. E então, tranquilamente, como um iludido que acredita que tem todo o tempo do mundo, Toshiro abriu o estojo da guitarra. Era uma Rickenbacker alemã fabricada nos anos 60. O corpo era de madeira clara, maciça, e o braço — de mogno vermelho e escuro —, incrustado de madrepérolas.

"Você toca?", perguntei.

"Não. Ganhei essa guitarra num rolo."

Tiago tinha largado o violão em estado de choque, de boca aberta, apreciando a raridade.

"Posso?", perguntou Tiago, reverente, fazendo um gesto parecido com o de um pai quando vai pegar o filho recém-nascido.

"Vai nessa."

Tiago dedilhou a guitarra. Depois passou a criança pra mim. Não tínhamos um amplificador no quarto, mas estava na cara que aquela princesa era bem tratada. Cordas novas, braço e ponte bem regulados. E o cheirinho? Verniz agridoce recendendo a hormônios frescos de bucetinha adolescente. Um tesão.

Compramos a guitarra. Naquele tempo quem tocava numa banda de rock não pensava em ganhar dinheiro. Que dirá guardar.

Toshiro foi embora.

O haxixe era muito forte. Fez o tempo passar mais lento, num andamento arrastado. Curiosidade etimológica: a palavra assassino tem origem em *hassassin*, tribo do Norte do Irã que, na época das Cruzadas, consumia haxixe antes de lutar contra cristãos.

Yeah.

Folheei a Bíblia e algumas listas telefônicas. Não me senti particularmente instado a matar cristãos. Todo quarto de hotel tem Bíblia e listas telefônicas. A Bíblia é sempre igual, a vantagem das listas telefônicas é que mudam conforme a cidade. Tiago estava hipnotizado por um filme do Elvis no Havaí. O som de uma guitarra havaina foi entrando devagar no meu ouvido até ocupar minha cabeça inteira. Não foi legal. Fui até a varanda. Estava quente lá fora. A impaciência tinha voltado. Senti cheiro de estrume. Seria dos cavalos dos *hassassins*? A tarde parecia um solo de Miles Davis. Não estava na hora de passar o som? Ouvi a campainha. Era Billy, o pragmático.

"E aí, a mercadoria?"

"Cheira aí", disse Tiago, sem parar de olhar o Elvis na TV, entregando a cocaína para o Billy.

Billy apanhou um pouco do pó com a unha do dedo mindinho e aspirou. Depois repetiu o movimento, aspirando com a outra narina. Agora eu entendia por que ele usava a unha do mindinho tão comprida.

"Não tá na hora da passagem de som?", perguntei. "O show tá marcado pras nove."

"O equipamento não chegou ainda", disse Billy. "Que cheiro é esse? Haxixe?"

"Como assim, o equipamento não chegou?", insisti. "Porra, Tiago, abaixa o volume, esse uquelele tá enchendo o saco!"

"Tá nervoso, cara?", ele perguntou, baixando o volume da TV.

"Claro. Faltam três horas pro show. A gente nem passou o som."

Billy foi até o frigobar e pegou uma cerveja.

"O caminhão com o equipamento não chegou até agora", disse, enquanto abria a cerveja.

"Deve ter porrado na estrada", observou Tiago.

"Nada!", grunhiu Billy, dando um gole no gargalo. "O Rato já ligou pra Polícia Rodoviária, não tem nenhuma ocorrência nem notícia de acidente na estrada. É haxixe?"

Dei o resto do haxixe pro Billy. Reparei no crucifixo que ele trazia pendurado numa gargantilha.

"Leva essa merda daqui. É muito forte. Cuidado com os *hassassins*."

"O quê?"

O crucifixo ficava escondido no meio dos pelos do Billy. Seus pelos do peito eram bastos e alcançavam o pescoço, embora Billy estivesse barbeado.

"Será que o motorista errou o caminho?", perguntou Tiago, interrompendo o diálogo *nonsense* que se insinuava entre Billy e mim.

"Impossível. O Caveira é macaco velho", disse Billy, guardando o haxixe no bolso. "Já trouxe equipamento pra cá um milhão de vezes."

Caveira. Dá pra crer no nome da figura? Caveira. Dirigindo o caminhão com todo nosso equipamento.

"Então deve estar chegando", eu disse, querendo crer nessa remota possibilidade.

"Ele saiu ontem à noite de São Paulo. Já era pra ter chegado."

Tiago me olhou com uma cara preocupada.

"Pior é que os ingressos foram todos vendidos. Casa cheia", afirmou Billy.

"Merda", disse Tiago. "Alguma coisa sempre sai errada."

Billy pegou uma miniatura de garrafa de uísque no frigobar, tirou a tampinha e cheirou o conteúdo.

"Conheço um músico que bebe o uísque e depois mija dentro dessas garrafinhas. Na hora de sair do hotel, coloca as garrafinhas mijadas de volta no frigobar."

Billy tampou a garrafinha e a devolveu ao frigobar.

"Vocês também conhecem o músico. É um guitarrista famoso, do primeiro time. Mas não vou entregar quem é. Talvez já tenham bebido o mijo dele. Rá, rá."

E então parou de rir de repente e olhou para mim: "Que história é essa de *hassassins*?".

Antes que eu pudesse explicar, Billy viu o estojo aberto da guitarra em cima da cama.

"O que é isto?"
Olhei de novo o crucifixo aninhado nos pelos do pescoço do Billy. Ele era o tipo de cara que faz o sinal da cruz toda vez que passa por uma igreja ou cemitério.
"Uma Rickenbacker", respondi.
"Eu sei que é uma Rickenbacker. Onde vocês arrumaram uma Rickenbacker?"
"O Toshiro", disse Tiago. "Compramos junto com o pó e o haxixe."
Billy passou a mão pelas cordas, embevecido. Não era pra menos, a guitarra era uma coisa, me lembro até hoje.
"Eu conheço essa guitarra."
"Eu também", disse Tiago. "George Harrison usava uma igualzinha."
"Não. Eu conheço *essa* guitarra aqui."
Billy tocou o escudo branco da guitarra com o dedo indicador.
"É do Lulu."
"Não fode", eu disse.
"Vocês não souberam do roubo da guitarra do Lulu? Todo mundo no Rio ficou sabendo."
"A gente mora em São Paulo, Billy", lembrou Tiago.
"São Paulo, Rio, Salvador, BH, todo o meio conhece a história. O Lulu foi ao cinema, estacionou o carro e esqueceu a guitarra lá dentro. Quando voltou, cadê o carro? Tinham roubado."
"Roubaram o carro, não a guitarra", disse Tiago.
"Foda-se, a guitarra estava dentro do carro", disse Billy.
"Entre o carro e a guitarra, eu preferia que me roubassem o carro", afirmei.
"Bom, no caso dele roubaram o carro *e* a guitarra", lembrou Billy.
"É por isso que eu não tenho carro", eu disse.

"Pensei que era porque você não tinha grana pra comprar um", concluiu Billy.

"Por que você acha que é a mesma guitarra?", perguntou Tiago.

"Eu não acho, tenho certeza. Trabalhei com o Lulu, esqueceu? Fui *roadie* dele um tempão. Cansei de trocar as cordas dessa *guita*".

"Não acredito."

"Querem uma prova?"

Ouvimos o som da campainha. Fui até a porta.

"Quem é?"

"Oi, meu nome é Cristina. Posso entrar?"

"O que você quer?"

"Autógrafo."

"Deixa entrar", disse Tiago.

Abri a porta, Cristina entrou. Cabelo curtinho pintado de vermelho, argolinha no nariz, rosto de menininha sapeca, vestidinho justo, quase gordinha, peito e bunda nas medidas certas. Tinha nosso disco na mão.

"Não acredito!", ela disse.

"Você quer um autógrafo?", perguntou Tiago.

Ela fez que sim.

"Não acredito!", repetiu.

"Não acredita em quê?", insistiu Tiago.

"No que está acontecendo."

"Tem caneta?"

"Não."

"Como é que você vem pedir autógrafo e não traz caneta?", perguntei.

Ela deu uma risadinha nervosa. Billy pegou uma caneta em cima do frigobar. Autografamos o disco enquanto Billy acendia um cigarro. Cristina tremia. Devolvi o disco.

"Eu nem sei o que fazer. Estou tão emocionada."
"Que tal tirar a roupa?", sugeriu Tiago.
Ela largou o disco e tirou o vestido. Ficou só de tênis e calcinha.
"E agora?", ela perguntou.
"Tira tudo", disse Tiago.
Ela tirou o tênis, depois a calcinha. Tinha pentelhos pretos encaracolados.
"Quer tomar um banho de banheira?", ele perguntou.
Ela queria. Os dois foram para o banheiro.
"E a prova?", perguntei pro Billy.
"Do outro lado da guitarra, no corpo, tem três riscos formando um triângulo. Pode olhar."
Tirei a guitarra do estojo e olhei o lado de trás. Um triângulo irregular, formado por três pequenos riscos na madeira.
"O que é isso? Maçonaria?"
"Sei lá", disse Billy, soltando a fumaça do cigarro pelo nariz. "Deve ter sido o cinto do Lulu que riscou a *guita* enquanto ele tocava. O Lulu gosta de usar um cinto enorme, do tempo da Jovem Guarda. É como um amuleto pra ele."
"Um amuleto que risca as guitarras?"
"Por que não? Fazendeiros não marcam o gado a fogo?"
Fiquei refletindo sobre a frase de Billy.
"Vou nessa", ele disse. Pelo jeito ele tinha se esquecido dos *hassassins*.
Billy saiu. Ouvi o barulho da água enchendo a banheira. Guardei a guitarra no estojo e fui até a varanda. Escurecia. As lâmpadas dos postes acenderam de repente e mariposas surgiram do nada, voando em volta das lâmpadas. Ouvi os gemidos de Cristina dentro da banheira. Ouvi cigarras também. Tiago apareceu enrolado numa toalha. Ele era rápido.
"A Cristina está te esperando."

"Pra quê?"
"Pra que você acha?"
Fui até o banheiro. Cristina na banheira, sorrindo pra mim.
"Quer que eu te dê um banho?", ela perguntou.
Sentei na beirada da banheira.
"Não."
"Não?"
"Não leva a mal."
"Você não quer?"
Fiquei olhando pra ela. Eu não queria. Ouvi barulho no quarto. Vozes.
"Espera aí", eu disse. "Já volto."
Saí do banheiro e vi Billy, Tiago e toda a equipe técnica debruçados sobre a Rickenbacker.
"Desculpe a invasão, mas todo mundo quis ver a guitarra do Lulu", disse Billy. "E você não me contou a história dos *hassassins*."
"A gente não tem certeza se é mesmo a do Lulu", interrompeu Tiago, ainda enrolado na toalha.
"É, sim", afirmei. "Mostra o triângulo pra ele, Billy."
Alguém bateu na porta com força.
"Abre aí, é o Velber!"
Abri a porta. Velber era nosso empresário, mas gostava de se apresentar com títulos pomposos como *manager*. Para nós era simplesmente o Rato.
"Entra, Rato."
"Não vou entrar, quero todos vocês no meu quarto em dois minutos. Reunião de emergência."
"O equipamento chegou?"
"É sobre isso que eu quero falar. Dois minutos!"
Alguma merda tinha rolado. Tiago vestiu a roupa correndo e fomos todos pro quarto do Velber. Quarto, modo de dizer. O

Rato não ficava em quarto, ficava na suíte. Os outros integrantes da banda já estavam lá. Reparei na mala do Rato aberta em cima da cama, cheia de roupas amassadas.

"Senhores", ele disse, abrindo a reunião como se fosse um superempresário na cabeceira de uma grande mesa ovalada numa sala no quinquagésimo nono andar de um arranha-céu em Wall Street. "Sujou. O Caveira sumiu com o caminhão e não será possível fazer o show."

"O que o Caveira aprontou?", alguém perguntou. "Virou ladrão?"

"Eu devo uma grana pra ele. Como não paguei, ele retaliou."

"Retaliou? Vá se foder, Rato!", disse Tiago. "Você é um merda. Não adianta falar palavras difíceis. Elas não fazem você deixar de ser um merda. Por que você não pagou o que devia para o Caveira?"

"Isso a gente discute depois. O importante agora é sumir daqui. Quando o público perceber que foi enganado, vai querer linchar vocês." O Rato deu um sorrisinho malévolo e concluiu: "A culpa é sempre dos artistas".

Show business no Brasil é assim mesmo.

Caveira era o nome do motorista do caminhão. Rato era o nome do empresário.

Voltamos pro quarto e me lembrei da Cristina. Fui até o banheiro, mas ela já tinha ido embora. A banheira ainda estava cheia de água, espuma rala e fluidos humanos incolores. Tiago encontrou o disco autografado em cima da cama.

"Que otária", eu disse. "Esqueceu o disco."

"Ela não queria autógrafo", disse Tiago. "Você comeu?"

"Comi", menti.

Arrumamos nossas malas correndo, o Tiago jogou o disco autografado na mochila e pegou o violão. Juntei minha mala e o estojo da Rickenbacker, que já estava fechado, e fomos embora.

Mais tarde, no ônibus, quase todo mundo dormia. Além do ruído do motor, só algumas vozes falando baixo. Alguém queimava um baseado. Olhei pela janela o céu cheio de estrelas. Eu preferia nuvens carregadas e céu escuro. Tiago sentou ao meu lado.

"No meio daquela confusão, acabei não vendo o triângulo."
"Que triângulo?"
"A prova de que a guitarra era do Lulu."
"Eu te mostro."

Peguei o estojo da Rickenbacker no bagageiro acima da minha poltrona e o apoiei sobre os assentos de duas poltronas vazias. Quando abri o estojo a guitarra tinha sumido. Em seu lugar estavam as listas telefônicas e a Bíblia que eu já conhecia do quarto do hotel.

16.

Entrei no Ponto Chic e pedi um chope. Olhei para a estátua do Casimiro Pinto, o inventor do bauru. Taí um cara que eu admiro, o Casimiro Pinto. Não é qualquer um que consegue ficar famoso por ter inventado um sanduíche, à exceção do próprio lorde Sandwich, que inventou o conceito. Fiz um esforço de memória pra ver se conseguia descobrir onde ficava a casa da Lien. Tentei lembrar de tudo que aconteceu naquela noite, depois que trepamos pela primeira vez no meu *miniloft* e levei Lien para casa de táxi. Mas não consegui refazer mentalmente o trajeto até o sobradinho na ruela do Cambuci onde viaturas da polícia estavam estacionadas com as luzes acesas. Minhas lembranças se confundiam a partir do momento em que Lien, durante o trajeto, botou a mão no meu pau. Foi um ato singelo, embora carregado de certo erotismo, evidente, mas sobretudo fraterno, quase inocente, como uma menininha da roça a acariciar uma rolinha de asas quebradas. O.k., nem tão rolinha assim. Uma rola mediana com boa mobilidade e uma surpreendente capacidade de alongamento, vá lá. No entanto, apesar da singeleza, aquele ato acabou com qualquer possibilidade de eu me concentrar no caminho. Lembrei da epígrafe das Nove histórias, do Salinger: "Todos conhecemos como é o som de duas mãos que aplaudem. Mas como é o som de uma mão que aplaude?".

O que o ditado zen imbeciloide do Salinger tem a ver com a Lien botando a mão no meu pau? Nada, claro. Pensei no som da mãozinha da Lien pousando sobre *the fallen phallus*, a dita rola flácida. Isso não me ajudou em nada a descobrir onde ficava a casa da Lien no Cambuci. Foi quando um sujeito esquisito, com a barba por fazer e vestindo um blusão de plástico imitando couro, sentou ao meu lado no balcão do Ponto Chic.

"Teo Zanquis?", ele perguntou.

"Depende", respondi, parafraseando um famoso escritor recluso que responde assim quando abordado por desconhecidos.

"Não lembra de mim? O Jamil, de Goiânia."

Pausa rápida para variedades gastronômicas: Al Hassin, o lendário restaurante árabe de Goiânia, é considerado o melhor do mundo por *connaisseurs*. O Al Hassin funciona numa chácara um pouco distante do centro da cidade. Almocei lá com a banda, há décadas, no dia seguinte a um show. Lembro de um banquete inesquecível, o velho Fuad trazendo a comida que sua esposa Suleima preparava na cozinha. Pratos intermináveis, iguarias da Síria, Jordânia e Líbano. Carneiro assado, berinjelas recheadas, quibes de carne e de peixes de água doce, esfirras, pastas de grão-de-bico e gergelim. Enquanto comíamos, as filhas e noras de Fuad e Suleima dançavam a dança do ventre, vestidas de odaliscas e munidas de sabres e espadas. Ao fim da dança das odaliscas, o pequeno Jamil — então um garoto de dez anos, o filho caçula de Fuad e Suleima —, adentrava dramaticamente o salão do restaurante. Paramentado como um sultãozinho raivoso, Jamil arrancava aplausos dos comensais ao dançar fazendo malabarismos com um sabre brilhante e uma adaga dourada.

Nesse dia, depois de comermos como glutões condenados à morte, ficamos bebendo cerveja no Al Hassin. Consideramos seriamente a possibilidade de chamar um guindaste para nos içar e uma ambulância Scania para nos conduzir de volta ao hotel. Na hora de pagar a conta, reparamos que o Tiago tinha desaparecido da mesa. Talvez tivesse saído para fumar um baseado digestivo no pomar do Fuad. Fui designado pela banda para procurá-lo. Saí discretamente — embora carregasse no estômago um rebanho de carneiros triturados — e fui atrás dele.

O quintal do Al Hassin era gigantesco, uma espécie de Sítio do Pica-pau Amarelo mourisco. Ouvi pássaros cantando, mas não senti cheiro de maconha. Ouvi latidos e sussurros. Gemidos. Segui a trilha sonora, não encontrei Emília nem o Visconde de Sabugosa. Tampouco Aladim e Sherazade. Mas encontrei uma das odaliscas chupando o sabugo do Tiago sob uma mangueira. Até aí tudo bem, era comum eu flagrar alguém chupando o pau do Tiago. O tal que ele guardava duro no açucareiro, lembra? O problema é que o pequeno Jamil — o sultãozinho raivoso —, sem que eu percebesse, vinha logo atrás de mim, brandindo o sabre e a adaga. Um cão fila fazia a escolta do monstrinho libanês.

"Tira o mangalho da boca da minha irmã!", ordenou freneticamente, enquanto avançava, junto com o cachorro, sobre o Tiago.

Tiago saiu correndo e só parou de correr quando chegou ao hotel. Não sei como não morreu de congestão.

Jamil me contou que estava vivendo em São Paulo havia muito tempo. O velho Fuad morrera fazia alguns anos, mas Su-

leima e os irmãos e irmãs de Jamil ainda tocavam o restaurante em Goiânia.
"Não aguentei mais aquela vidinha. Saí fora", disse Jamil.
"Ainda ganha a vida fazendo malabarismos com o sabre?", perguntei.
"Não", ele respondeu, rindo. Mas ficou sério de repente: "Depois daquele dia, em que eu quase matei o teu parceiro, não me deixaram mais brincar com as espadas. Uma noite eu entrei pela janela do restaurante e fui até o quarto onde meu pai guardava as espadas e as fantasias. Peguei a adaga dourada e fiquei passando a mão nela, sentindo o fio cortante na ponta dos dedos e avaliando se estava bem afiada. Estava com saudades daquela adaga. Eu adorava a adaga. Mas o Hércules, o nosso fila, me atacou. Me confundiu com um ladrão, eu acho. Tive de matar o Hércules com a adaga. Golpeei o pescoço dele, depois a barriga. As tripas escorreram pelo chão como chouriço. Um cheiro horrível. Foi muito triste. Muito triste mesmo."
"Sei", eu disse. Depois paguei o chope e me despedi do Jamil. Ele emanava uma espécie de melancolia contagiosa.

17.

Entrei num táxi e pedi que o motorista tocasse para o Cambuci. Ele tinha os olhos claros e a pele bastante enrugada, como se tivesse envelhecido precocemente. Expliquei que precisava encontrar uma casa, mas não sabia o endereço.

"Entrou no carro certo, companheiro", disse o taxista. "Eu também procuro uma casa, mas não sei o endereço."

Achei a conversa meio estranha.

"Mas eu vou encontrar", afirmou.

E então me contou a sua história: os infortúnios do alcoolismo, as surras que aplicava na mulher e no filho, até o dia em que ela decidiu ir embora levando o menino, então com sete anos. Depois me mostrou uma foto antiga da mulher e do filho. Ela parecia uma índia e tinha um sorriso bonito. O menino também sorria.

"Isso já faz mais de dez anos", ele disse, guardando a foto de volta no porta-luvas. "Nunca mais eu vi meu filho nem minha mulher. Não sei onde vivem."

Fiquei quieto. Ele também. A melancolia contagiosa de

Jamil resvalara para uma depressão total. Um presságio, talvez. Vagamos por algum tempo pelo bairro. No começo da noite, depois de algum tempo de busca, localizei o sobrado da Lien na rua Perseu da Rocha, número 143.

"É aqui", eu disse, assim que reconheci o sobradinho com o inconfundível portão vermelho.

"Quer que eu espere?", perguntou o taxista.

"Não precisa."

Paguei a corrida e desejei-lhe boa sorte. Olhei em torno. A rua estava tranquila. A casa, fechada. Abri o portão vermelho e me aproximei da porta. Senti um cheiro intenso de cocô de gato. Não sabia que a Lien tinha gato. Toquei a campainha três vezes, ninguém atendeu. Eu devia ter ido embora, claro. As coisas começaram a desandar no momento em que dei uma girada na maçaneta e percebi que a porta estava destrancada. Abri um pouco mais e dei uma boa olhada dentro da casa. Uma sala. Um tapete. Uma grande mancha de sangue coroada por um corpo inerte, já começando a feder. É isso mesmo, tinha uma pessoa morta no chão da sala da casa da Lien. O cheiro não era de cocô de gato, mas de um cadáver em processo de putrefação.

18.

"Ô!"

O muxoxo vem acompanhado de um cutucão nas costas. Voz de mulher. Ela me cutuca com um pedaço de madeira, suponho.

"Ô!"

Parem as máquinas! Chega de literatura, cansei! O muxoxo e o cutucão me despertam de meu exílio literário. Cogito finalmente tirar a cara do buraco e abrir os olhos. Encarar a praia de Ipanema e o oceano Atlântico. É tempo de mudança, hora de dar uma virada e sacudir a areia. Mas a lembrança da aparência triste e decepcionante da realidade me desanima. Brochei. Suponho que não haja nada de épico ou retumbante em minha volta ao mundo visível. Não haverá bandas, crianças com bandeiras ou faixas de bem-vindo ao mundo real, Teo Zanquis! Não receberei comendas, discos de ouro ou prêmios literários. Mulheres seminuas não sairão do bolo para meu deleite. A me esperar do lado de lá, apenas a realidade com sua expressão ranzinza de diretora de escola primária.

Tudo certo, penso. Peguei no sono. Me deixa em paz. Tento articular uma frase, mas não consigo. Isso me preocupa um pouco. Eu deveria *conseguir* falar alguma coisa, certo? "Melhor não ficar dando mole aí, não. A praia tá vazia", alerta a mulher, que suponho ser uma gari. Ela se afasta cantando um rap: "África mãe do mundo/ África mãe/ os elos da corrente ainda marcam nossos punhos/ e os capitães da mata existem para nosso avanço ao futuro/ Moçambique, Palmares, Angola, Zâmbia...".

Daqui a pouco vou dar um mergulho, pra tirar a areia do corpo e acordar desse sono cinzento. Preciso reagir.

19.

Naquela tarde no Cambuci, alguma coisa aconteceu comigo. Coisa pior aconteceu ao defunto, evidentemente. Depois de ver o cadáver estirado no chão da sala da casa da Lien, minhas pernas bambearam. O cheiro era horrível. Instintivamente fechei a porta e pensei em sair correndo. É o que eu deveria ter feito. E depois ligado para a polícia, para comunicar a ocorrência. É o que eu deveria ter feito, óbvio. Mas não foi o que fiz. Respirei fundo. Queria entrar na casa e conferir quem estava morto no chão, apodrecendo. Queria ter certeza de que não era a Lien. Queria vasculhar os cômodos, descobrir sinais de que ela estava bem. E a dona Yong? E o Chang-Ho?

Abri novamente a porta e entrei na casa. Caminhei com pernas trêmulas até o corpo estirado no chão. A pele já estava azulada e as expressões, enrijecidas pelo *rigor mortis*. O fedor era intenso, fiz esforço para não chamar o hugo ali mesmo. O sangue no chão tinha um aspecto estranho, escuro. E as fotos sobre uma cristaleira ao lado não deixavam dúvida: era Chang-Ho — o gênio contrabandista revolucionário *nerd* irmão da Lien — quem jazia no tapete.

20.

Já é noite, e ainda assim estou sem ânimo para sair do buraco. O mar não está mais sussurrando: Lien, Lien. Ainda bem, enchi o saco. Ou o mar encheu. O mar Egeu? Preciso acabar logo com isso. Eu existo, eu existo. Voltar ao hostal. Tomar um banho. Comer alguma coisa. Consultar a internet. Tomar uma atitude. Tomar no cu, que seja. Estou estranhamente indiferente. Fugir das responsabilidades é comigo mesmo. Não sei se deliro, mas escuto ao longe um cavalo relinchar. Um cavalo na praia de Ipanema?

Me lembro agora da Clarinha Apalusa.
Se você tem menos de quarenta e cinco anos, nem se dê ao trabalho de tentar lembrar quem é Clarinha Apalusa. Ou quem *foi* Clarinha Apalusa. Pois só se é Clarinha Apalusa uma vez na vida. Hoje, se ainda estiver viva, Clarinha (Clarona, quem sabe?) deve passar seus dias tricotando pulôveres de lã num asilo de artistas. Ou não. Talvez seja a viúva de algum fazendeiro em

Tocantins, entretida com gado, plantações de soja, hidroaviões e netinhos playboys. Ou a dona entediada de uma bela *villa* na encosta de uma ilha grega, a verter taças de *pinot grigio* gelado pelas tardes luminosas e melancólicas do Mediterrâneo. Não sei. Conheci Clarinha no programa do Chacrinha. Nas gravações era comum que flertássemos com as chacretes. Seus sorrisos eram sempre convidativos, embora elas fossem inatingíveis. Durante os três minutos e quarenta segundos que durava o *playback* de "Trevas de luz", podíamos chegar perto, trocar sorrisos e até dançar com elas. Mas logo que a música acabava, e Chacrinha já anunciava a próxima atração, éramos conduzidos para os bastidores (roqueiro que se preze chama bastidor de *backstage*, mas eu, como se sabe, não me prezo mais) e nossos camarins nunca coincidiam com os das meninas. Tenho certeza de que isso não acontecia por acaso. Era difícil para qualquer músico, mesmo que fosse alguém da estatura de um Wando, de um Benito di Paula ou até mesmo de um Fábio Júnior, chegar perto das chacretes. Elas preenchiam as fantasias de qualquer homem razoavelmente comum: havia índias, mulatas, loirinhas, algumas com pinta de piranhas profissionais, outras com jeitão de angélicas colegiais, e assim por diante. Clarinha parecia uma criação do dr. Moreau, de H. G. Wells: um meio-termo entre uma criança tirolesa e uma égua manga-larga no cio. Rosto de bebê alemão premiado, de pele clara com sardinhas espalhadas pelas bochechas rosadas, emoldurado pelo cabelo louro de franjinha inocente. O corpo, bem, um homem de estatura mediana — eu — precisaria de uma escada Magirus para escalar aquele monumento suarento até o cume. Suarento porque Clarinha, como todas as outras chacretes, suava um bocado para fazer valer os belos cachês que recebia por toda aquela fantasia insinuada. Eis um negócio que dava certo. Não eram só as chacretes. Todos os programas de auditório da época tinham o seu time de dançarinas: Barros de

Alencar, Bolinha e outros nomes que o vento levou. Mas as chacretes eram especiais. Havia uma aura impura em torno delas, e essa constatação não é fruto apenas das alucinações que as drogas invariavelmente me causavam durante as gravações. E mais, eu tinha certeza de que a Clarinha me dava bola. Sei que todos os meus companheiros de geração devem ter tido a mesma certeza em algum momento, mas fazer o quê? Os olhares que Clarinha me dirigia durante os três minutos e quarenta segundos mágicos de "Trevas de luz" eram inegavelmente interessados, específicos e tinham a mim como alvo único e inequívoco. E eu não era de se jogar fora, convenhamos, apesar do chapeuzinho de marinheiro. Um domingo à noite, no dia seguinte à gravação do programa e à madrugada trabalhosa que invariavelmente se seguia, fui jantar numa cantina italiana em Copacabana. O Lu estava comigo. Não ingeríamos algo sólido desde o dia anterior. Durante o jantar, um grupo ruidoso de italianos se acomodou a uma das mesas. À primeira vista pareciam turistas sexuais: italianos de meia-idade, bronzeados e espalhafatosos, acompanhados de formosas garotas cariocas. E então notei — todos notaram, a mulher era a sétima maravilha do mundo, além de celebridade momentânea — Clarinha Apalusa ao lado de um dos italianos. Vale dizer: do mais velho e mais falante deles. A deferência com que os italianos eram tratados pelos garçons cariocas assim como a festa que lhes fazia o dono do estabelecimento me deram a certeza de que não eram simples turistas. Tratava-se de gente da máfia, e qualquer jornal da época noticiava as ligações de mafiosos exilados no Rio e os estabelecimentos que serviam de fachada para negócios escusos e esconderijos de patrícios foragidos, tais como pizzarias, trattorias, osterias e cantinas. A presença da Camorra e da Cosanostra não arrefeceu meu ímpeto, no entanto. De um cumprimento discreto com a cabeça, passei a alvejar Clarinha Apalusa com olhares de todos os calibres. Ela me enviou de volta sorrisos de trezentos e sessenta graus e piscadelas de brilhos orgásticos. Tudo, claro, na maior dissimulação, sem que o dom Corleone bronzeado percebesse nada. Lá pelas tantas, quando os italianos já desarrolhavam o quinto Barollo e eu e Lu, a décima nona Bohemia, Clarinha Apalusa deslocou seu enorme e suculento corpo na direção do banheiro feminino. Dom Corleone, desatento, acendeu um charuto e começou a gesticular muito enquanto contava, em italiano, algum caso que arrancou gargalhadas dos companheiros. Apesar dos alertas do Lu, que por sua vez também estava de olho numa das mulatas da mesa, me levantei e fui atrás da Clarinha. O banheiro das mulheres estava com a porta trancada. Bati uma vez, Clarinha abriu. Tinha o vestido aberto na parte de trás, o que deixava à mostra uma interminável escarpa de carne fresca. Entrei no banheiro, tranquei a porta e começamos a trocar fluidos. As boas e velhas salivas, a princípio. Puxei o vestido de Clarinha para baixo enquanto a beijava. A dupla de seios carnudos desabou sobre mim com o impacto de uma revelação: comecei a lambê-los, como se fossem as tábuas sagradas dos dez mandamentos embebidas em *marshmallow* e *chantilly*.

"Aqui não", sussurrou Clarinha. "Aqui não."

E então se ajoelhou e abocanhou minha pica como alguém que encontra uma fonte no meio do deserto. Sugou minha rola e engoliu os milhões de espermatozoides com os quais homenageei sua traqueia. E disse assim, antes de sair do banheiro ajeitando o vestido:

"Me pega amanhã na porta do Teatro Fênix às duas horas."

Passei o resto daquela noite apaixonado por Clarinha Apalusa. Ela e os italianos não ficaram muito tempo, foram embora da cantina alguns minutos depois de nossa confraternização úmida no banheiro. Eu e Lu permanecemos ali até que os garçons nos mandaram embora, horas depois. No hotel, dormi pensando em

Clarinha. Dormi acordado, como dormem os apaixonados. Imaginei que finalmente eu me afeiçoara a alguém e talvez tivesse chegado a hora de mudar de vida, casar, ter filhos e tudo aquilo que vem a reboque. Imaginei como seria a minha tarde de domingo, no dia seguinte: um passeio de mãos dadas com Clarinha Apalusa pela lagoa Rodrigo de Freitas em que ela me contaria seu passado emocionante de menina pobre em Cascadura, Madureira ou numa cidadezinha qualquer perdida no extremo sul do Espírito Santo. Clarinha discorreria sobre o difícil começo da carreira como chacrete no Rio de Janeiro. Descreveria em detalhes sórdidos as concessões nojentas que era obrigada a fazer, como sair com um mafioso barrigudo para pagar as contas do pequeno apartamento na Tijuca onde, junto com a mãe doente, ela criava uma filha de pai desconhecido, ou de algum gigolô safado de Vitória da Conquista ou Cachoeiro do Itapemirim. Ela me contaria dos poemas que escrevia e da vontade que tinha de ser uma atriz séria de teatro. E das pequenas peças que também rabiscava — diálogos esparsos, pequenas cenas soltas, esquetes, nada de mais —, influenciada por Nelson Rodrigues. Não, influenciada por Janete Clair ficaria mais adequado. Passearíamos no pedalinho, flutuando pela lagoa no ventre de um enorme cisne de plástico branco, e ali, vislumbrando o Cristo Redentor do alto do Corcovado a nos abençoar, eu proporia casamento a Clarinha Apalusa. Ela diria então, anunciando um impedimento: mas eu tenho uma filha, já te contei isso. Você não estava prestando atenção? E eu, com a calma dos que amam de verdade: sua filha agora também já tem um pai, Clarinha. Nesse instante nos beijaríamos sob forte paixão enquanto uma ventania revolveria os cabelos louros de Clarinha.

    É óbvio que Clarinha Apalusa nunca apareceu às duas horas do dia seguinte na porta do Teatro Fênix (não havia gravação nenhuma lá, naquele domingo), a Beat-Kamaiurá nunca mais foi chamada para gravar o programa do Chacrinha e, pior de tudo, nunca mais eu vi a Clarinha Apalusa. Nem mesmo pela TV. Minha paixão virou de repente a sucessão seca de três *nuncas*. Algo me diz que a máfia ficou sabendo de meu entrevero com a chacrete no banheiro feminino da cantina.

21.

Back to the future: a sequência dos acontecimentos está confusa em minha memória. O tempo tem corrido rápido desde que descobri o cadáver no Cambuci. Não tenho do que reclamar, finalmente um acontecimento impactante me tirou da letargia. A primeira coisa que fiz foi vasculhar a casa. Entrei em todos os quartos, banheiros e buracos que encontrei. Não eram muitos, o sobrado era pequeno. Não havia mais ninguém ali. Apenas computadores, vinis do David Bowie, cds, revistas de mangá, fanzines de rock, aparelhos eletrônicos e muita louça suja espalhada. Então, em vez de ligar para a polícia, ou avisar algum vizinho, eu fui embora.

Fugi, admitiria um escritor mais sincero.

Andei do Cambuci até Perdizes. Que porra estava rolando? Primeiro a Lien desaparece. Depois o Chang-Ho aparece morto no chão da sala de sua casa. Onde eu estava me metendo? E onde estava dona Yong?

Cheguei ao Santa Gnoveva à noite. O porteiro disse: "Uns chineses te procuraram".

Chineses? Coreanos, claro. O porteiro não saberia distinguir. Nem eu.
"E o que eles disseram?"
"Nada. Subiram, viram que o senhor não estava e foram embora."
Os clichês foram se sucedendo assustadoramente: entrei em casa, a quitinete estava remexida. Pratos de plástico e copos reaproveitados de requeijão largados sobre a pia. Um dos copos se quebrara, espalhando cacos de vidro pelo chão. O que era aquilo? Um pesadelo de novela mexicana mal iluminada? De repente minha vida virou um filme B coreano? Policial, ainda por cima. E o que eu tinha a ver com todo aquele *nonsense*? Isabel, a guitarra, tinha perdido as cordas e os captadores. Violentaram minha guitarra, os filhos da puta! Corri para o sarcófago da Isabel — estojo de guitarra —, que ficava largado num canto, e abri o pequeno fundo falso onde guardava alguns dólares, minhas economias de uma vida. Para meu alívio os dólares continuavam ali. Retirei-os do esconderijo, por via das dúvidas, e guardei o maço de verdinhas no bolso. Sim, minhas economias de uma vida cabem com folga num bolso de calça jeans apertada. Continuei contabilizando o prejuízo: todas as gavetas remexidas. O baú de roupa suja virado sobre os azulejos do chão do banheiro. Camisinhas, capas de vinis, meias, camisas *grunge*, caixinhas quebradas de CDs e cuecas usadas espalhadas por todo lado. Normalmente elas ficavam mesmo espalhadas, mas era eu quem as espalhava! O que era aquilo? O ataque dos pivetes coreanos assassinos? Uma espécie de *reality show* asiático de terror? O que queriam de mim?
Uma coisa me intrigou: não haviam levado nada.
In-a-Gada-da-Vida, aquele disco horroroso do Iron Butterfly, estava largado na tampa da privada. Aproveitei para endereçá-lo ao lixo.
Há males que vêm para o bem.

22.

Só quando começaram a bater na porta, sussurrando palavras numa língua estranha, e em seguida mexeram na fechadura, percebi que o que procuravam estivera o tempo todo esquecido no outro bolso da minha calça jeans, o que não estava com os dólares: o cannoli da Lien! Senti um arrepio na nuca. Elementar, você diria. Mas tente agir com racionalidade e pensar com calma numa situação dessas: treino é treino, jogo é jogo. Não é literatura o que se vivencia aqui. Tampouco uma sessão de análise junguiana baseada em sonhos. Pode soar ridículo, mas isso tudo realmente estava acontecendo!
Coisas ridículas também acontecem, não?
Tirei o cannoli do bolso e encarei-o. Um tornado de pensamentos me varreu o cérebro. Lembrei de Lien especulando sobre o provável projeto revolucionário de Chang-Ho, que abalaria as formas conhecidas de baixar música pela internet. Quando ela me disse aquilo, achei que Lien delirava. Agora quem delirava era eu. Que tipo de segredo conteria aquele prosaico pen-drive? Termozinho idiota, aliás, pen-drive. Voltarei a chamá-lo de can-

noli, como combinado. É mais seguro, e menos constrangedor. O que conteria o cannoli? Um megaprograma imbatível para escravizar toda a web, obrigando cada internauta a pagar uma taxa a cada simples troca de e-mails ou minuto de navegação? Ou uma fórmula de uma droga virtual, inoculada nos internautas de maneira subliminar através de um vírus eletrônico capaz de deixar todo o ciberespaço em estado de profunda dependência química-digital, tornando os traficantes virtuais dessa nova droga os mais ricos e poderosos do mundo? Ou tudo não passará de um equívoco, já que o cannoli contém apenas a receita milenar compilada pela avó de Lien do tradicional, porém irresistível, *yakisoba* coreano...

Senti que a fechadura cedeu. De novo, uma vez que eles já haviam entrado em casa antes. Cedeu fácil, a piranha. Se arreganhou aos primeiros coreanos que apareceram, como uma xerequinha que tivesse vagado anos pelo deserto, suando sobre as corcovas de um camelo cego. Fechadura vagaba, a minha. Não tive outra saída, guardei o cannoli no bolso, saltei pela janela e me ajoelhei no parapeito externo. Respirei fundo, tentando controlar os batimentos cardíacos, que já alcançavam um andamento de *hardcore* tocado por batera anfetaminado. Não olhei pra baixo. A visão da Cardoso de Almeida lotada de carros poderia me encorajar a realizar aquele velho projeto engavetado: pular da janela. Por um momento pensei ter escutado a bichona do David Lee Roth cantar "Jump"!

Sei que não é hora para gracejos, mas naquele momento, quando dei por mim no parapeito externo de uma janela no nono andar pensando no David Lee Roth, pressenti que talvez minha existência tivesse chegado ao fim. Lembrar do David Lee Roth numa hora dessas é, no mínimo, perdoe-me o lugar-comum, o fim da picada. Literalmente. Nunca fui religioso, ou espiritualizado — tirando a época em que frequentei aulas de *tai chi chuan* na juventude —, portanto sempre encarei a vida como um ciclo biológico absolutamente sem sentido. Mas a ideia de morrer pensando na figura grotesca do David Lee Roth me pareceu ridícula. Seria uma injustiça com Darwin, Einstein, Freud, Jimmy Page, Paul McCartney, Mané Garrincha e outros grandes nomes que provam que, apesar de sem sentido, nossa existência é repleta de nobreza e dignidade. Grandeza até, em alguns momentos.

Vivi num átimo um dilema hamletiano, mirando a Cardoso de Almeida como uma representação do grande fluxo da existência.

Me jogo ou não me jogo?

Foi quando olhei para o lado, e tive uma visão reveladora.

Obrigado, David Lee Roth.

23.

Eis o que vi: a janela entreaberta da quitinete vizinha. Pulei para dentro do apê da saudosa velhota despirocada bem no momento em que os coreanos botavam a cara pela janela do meu apartamaneto à minha procura. Não me viram, e também não os vi. Ouvi suas vozes, no entanto, dialogando nervosamente naquele idioma estranho que o pai de Lien captava nos circuitos desajustados de seu miolo mole. Fiquei alguns segundos em silêncio, pensando no que fazer. Não demoraria até que os coreanos tivessem a ideia de xeretar o apê da falecida. Não sei quantos eram. Dois, talvez três, quatro no máximo. Senti o cheiro inconfundível de dona Gladys no ar, um *blend* de naftalina e sabonete barato. Smells like dead old woman, pensei, num ataque de idiotice infantil. Cheguei a retirar o cannoli do bolso e cogitei entregá-lo aos coreanos, numa boa, sem ressentimentos, brother. Não é possível que tudo aquilo estivesse acontecendo por causa de uma simples receita de yakisoba. Não mesmo. E ainda que o cannoli abrigasse algo mais comprometedor, e era provável que abrigasse, meus conhecimentos cibernéticos são tão limitados que me falta gabarito até para supor que espécie de problema eu tinha em mãos. As hipóteses que me passam pela cabeça são caricatas e risíveis. Nem sei se existe yakisoba coreano. Não faço a menor ideia do que trata o teorema de Nyquist. Mas os coreanos não estavam para brincadeira, dava pra sentir. Pensei mesmo em entregar-lhes o cannoli. Nada pessoal, galera, aqui está o cannoli, na boa. Bom proveito, não exagerem no *shoyo*. E eu me curvaria na frente deles, à moda oriental, o que lhes garantiria que eu não memorizaria seus rostos. Eles deviam ter todos a mesma cara e eu jamais os reconheceria, de qualquer forma. Nem se quisesse. Mas e se eles não fossem assim tão amigáveis? A imagem de Chang-Ho morto era como um refrão de Jim Morrison a me martelar o cérebro: *run, baby, run.*

Dona Gladys. Grande dona Gladys. Deveria ser canonizada pelo Vaticano como santa Gladys das Perdizes protetora dos fugitivos com cannolis coreanos no bolso. Preciso me lembrar depois de escrever ao Ratzinger relatando o caso. Dona Gladys me salvou a vida. Até ali, pelo menos. Dona Gladys e David Lee Roth. Mas uma vida nunca está inteiramente salva, certo? Ela pode acabar no instante seguinte.

Agora!

Desculpe se te assustei, foi só pra checar se você realmente está me acompanhando.

Prosseguindo: o apartamento de dona Gladys permanecia sem a porta desde que minha vizinha morrera, pois o porteiro e os paramédicos tiveram de arrombá-la (a porta, não a dona Gladys) naquela noite, e o condomínio naturalmente ainda não tinha reunido verba suficiente para o conserto. Não reuniu até hoje, imagino. Devo então agradecer — além de dona Gladys e David Lee Roth — também à morosidade e à paupérie do condomínio do Santa Gnoveva pela minha vida, fica aqui o registro.

Saí dali nervoso e, enquanto passava em frente à porta fechada do meu apê, ouvi as vozes dos coreanos. Deviam estar a um passo de abrir a porta e voltar ao corredor para continuar a caça à raposa. Não havia tempo para esperar pelo elevador. Cheguei até as escadas com as pernas bambas. Ali comecei a correr e desci direto até a garagem, temendo que um coreano risonho estivesse à espreita na recepção. Na rua, mais uma vez tomei a decisão errada: em vez de correr até a delegacia de Perdizes, a vigésima terceira, ali na Itapicuru, peguei um táxi para o Medeia, o lendário estúdio de Tales Banabek.

Com tanta gente no mundo e eu pensei logo no Tales Banabek.

É a minha cara isso.

24.

No hotel marmota sinto a brisa e escuto o mar. Ao meu lado, presumo, areia. Imagino dunas e alguns castelos desfeitos. Ao longe, o som dos carros que passam pela avenida Vieira Souto. Vozes, agora apenas ruídos. Um grito distante. Respiro fundo. A maresia é refrescante, apesar dos grãos de areia que se intrometem pelo meu sistema respiratório. Tento manter a calma, penso em Schopenhauer e seus conselhos.

A *autêntica concisão da expressão consiste em dizer apenas, em todos os casos, o que é digno de ser dito, com a justa distinção entre o que é necessário e o que é supérfluo, evitando todas as explicações prolixas sobre coisas que qualquer um pode pensar por si mesmo.*

Presto atenção aos sons noturnos de Ipanema. Uma onda quebrando, latidos de um cachorro, uma sirene. Flautas andinas soando ao longe. As flautas não me remetem a Pablo Neruda, mas a Rimbaud. Rimbaud foi um poeta que fez o caminho inverso do meu. O.k., ninguém mais está preocupado com minha pretensão a essa altura dos acontecimentos. Para quem foi há pouco dado como defunto por uma dupla de vendedores de mate, tudo bem se comparar a Rimbaud. É como diz o provérbio, cu de bêbado não tem dono. Cu de avestruz também não. Rimbaud começou na literatura e acabou na vida. Eu comecei na vida e, pelo jeito, vou acabar por aqui mesmo, no meu buraco literário. A toca do tatu, como a casa do Snoopy, pode abrigar muita coisa. Aqui dentro, de onde definitivamente concluo que à noite todos os gatos são pardos, penso em Rimbaud. Quantas pessoas podem se dar ao luxo de pensar em Rimbaud na praia quando anoitece? É sempre uma questão de perspectiva, dona Gladys estava certa. Eu perdi quase tudo, mas ainda posso me dar ao luxo de pensar em Rimbaud quando o dia acaba. Ou quando tudo acaba.

25.

Não sei se já falei aqui sobre o Tales Banabek. Acho que sim. Se não falei, perdoe minha falha imperdoável, estou sob forte tensão, como se vê.

Meu último — e único até então — contato com Tales Banabek, o antigo grande produtor do rock brasileiro, foi quando acompanhei Tiago até o Medeia, o estúdio de Tales, para regular algumas guitarras. Encontramos um homem envelhecido e gordo, calvo e fora de forma — que em nada lembrava o mito do rock dos anos 80 —, treinando tiro ao alvo, tentando inutilmente acertar com os tiros de seu revólver uma prosaica latinha de azeite.

Esse encontro sinistro com Tales Banabek acontecera havia mais de cinco anos. Por que motivo agora, depois de fugir dos coreanos, eu decidira pegar um táxi para o estúdio Medeia? Por que não fui até a polícia? Por que não procurei um advogado? Simples: achei que estaria mais protegido se tivesse uma arma. E Tales Banabek não tinha uma, mas várias. Revólveres e pistolas de todo tipo, pelo que me lembrava. Talvez eu não estivesse de todo errado quanto a estar mais protegido de posse de uma arma do que em companhia de um delegado ou um advogado, mas acredito que a solução para o meu dilema era o Tales Banabek mostra como minha mente estava perturbada — e, devo admitir, ainda está.

As coisas mudam em cinco anos. Mudam em cinco minutos, às vezes.

Era de se supor, pelo aspecto do Medeia anos antes, que ele estaria em ruínas agora. Não estava. Alguma coisa milagrosa acontecera nesse período, e com certeza não foi a reabilitação da indústria fonográfica. O estúdio de Tales Banabek permanecia iluminado àquela hora da noite, ostentando uma pintura recente e um jardim vistoso com perfume de jasmim-manga. Toquei a campainha e me anunciei pelo interfone como um especialista em armas com uma proposta a fazer para Tales Banabek. As portas se abriram magicamente. Se confessasse que era um ex-músico na certa me diriam que tinha acabado o pão velho. Uma moça muito bonita e simpática, secretária, me recebeu sorrindo: "O Tales Banabek vai estar recebendo o senhor num instante", disse, provando que apesar da beleza não escapara à terrível síndrome do gerúndio mal-empregado.

Depois de alguns minutos fui conduzido por um corredor profundo. Eu continuava impressionado com o fausto e a imponência do Medeia. Nem nos anos 80 os estúdios eram tão luxuosos e exuberantes. Ar condicionado impecável. No final do corredor havia uma grande porta revestida de poliuretano, à prova de som. Achei que fosse um estúdio de gravação. A Graciosa do gerúndio pediu que eu aguardasse um momento ali, pois Tales logo me receberia.

"A porta vai estar abrindo em alguns instantes", afirmou, como um pintor que assina um quadro.

"O Tales está gravando?", perguntei.

"Atirando", ela respondeu, e se afastou com um sorriso enigmático de Monalisa de subúrbio.

A porta se abriu sozinha. Uma sala enorme — que bem poderia ser um estúdio de gravação — com pé-direito altíssimo, iluminada e revestida acusticamente. O chão coberto por camadas de tapetes persas e *kilins* afegãos. A Orquestra Sinfônica de Berlim caberia inteira ali, e ainda sobraria espaço para a ala das baianas da Mangueira e uma boa parte da torcida gay do São Paulo Futebol Clube. Mas aquele não era um estúdio de gravação. Como pude concluir rapidamente, era a sala de tiro ao alvo de Tales Banabek. Lá estava Tales, na mesma posição em que o vira pela última vez, cinco anos antes: em pé, com uma pistola na mão. Mas era um outro homem agora. Magro e musculoso, com um implante de cabelo cortado curtinho, transmitia saúde e agilidade. O mais impressionante: em vez da solitária latinha de azeite, Tales Banabek disparava suas balas contra uma infinidade de computadores. É isso, os alvos eram computadores cujos visores mostravam animais correndo por savanas cinematográficas e aves voando por lisérgicos céus azuis. E pelo estado de dezenas desses computadores — com visores estilhaçados —, a mira de Tales Banabek havia melhorado consideravelmente nos últimos cinco anos.

Assim que entrei na sala, ele parou de atirar e olhou pra mim.

"Senta aí", disse, enquanto tirava dos ouvidos uma espécie de *headphone*, na verdade um protetor auditivo contra o som dos tiros. Percebi que seus dentes brilhavam como um teclado Yamaha. Sentei-me numa poltrona, ele largou a arma no chão e sentou à minha frente, no chão, em posição de lótus. Apontou uma fileira de monitores estilhaçados.

"Quarenta tiros. Todos na mosca. Nas moscas, quero dizer."

"A mira melhorou", eu disse.

Ele riu. E começou a cantarolar: "Trevas de luz, Trevas de luz, onde foi que eu perdi o chão? Trevas de luz, trevas de luz, até quando a escuridão?".

Levei um susto. Nunca imaginei que Tales Banabek soubesse quem eu sou ou fizesse a mínima ideia das músicas que compus. Ainda que "Trevas de luz" tenha sido um mega-hit, como gosto sempre de modestamente salientar.

"Você achou que eu ia acreditar nessa conversa de *especialista em armas*? Fala sério, mano. Tá me tirando?"

E soltou uma gargalhada. Ri também, na falta de coisa melhor para fazer. Chorar, por exemplo.

"Tudo certo", ele disse. "Sei que a cabeça da gente fica estranha às vezes. O que é que tá pegando?"

"Eu não imaginava que você conhecesse a Beat-Kamaiurá", confessei, mal disfarçando o orgulho e, só para variar, começando a me desviar do assunto que me levara até ali: a aquisição de uma arma. "Na última vez em que estive aqui, você não me reconheceu."

"Se eu não te reconheci naquela época é porque não teria reconhecido a mim mesmo no espelho. Não te acontece de vez em quando?"

"Hoje de manhã", eu disse.

"Eu conheço tudo sobre rock brasileiro, Teo Zanquis", afirmou, com uma expressão séria. "Sei dizer de memória em que ano o Terço gravou o primeiro disco, qual a formação original do Scaladácida, a lista completa de bandas que tocaram no Festival de Iacanga e qual a marca do violão que o Ritchie usou na gravação de "Menina veneno". Aliás, eu sei qual a marca do cordoamento que ele usava naquele violão: cordas D'Addario, zero onze. Pode perguntar para o Ritchie."

"Impressionante", eu disse.

"Eu inventei o rock brasileiro, Teo Zanquis!", afirmou, levantando-se e perdendo totalmente a aura zen. "Inventei até quem veio antes de mim, como Celly Campello e a Jovem Guarda, pois fui eu que dei forma, nome e sentido a um movimento que não passava de uma espécie de diluição do iê-iê-iê italiano. Se não fosse por mim, ainda estaríamos achando Rita Pavone o máximo."

"Eu acho Rita Pavone o máximo", eu disse.

"Foda-se, você entendeu o que eu quis dizer", ele começou a andar de um lado para o outro, inflamado: "E não pense que conheço só as bandas antigas. Posso revelar desde o número do sutiã da Pitty até os títulos de todas as canções gravadas na primeira demo do Móveis Coloniais de Acaju."

O que dizer? Nada.

"Mas o rock brasileiro, como um Frankestein, se voltou contra mim! A criatura revoltou-se contra o criador!"

Ele caminhou até a fila de computadores estilhaçados: "A culpa foi destas merdas! Estes pequenos diabinhos cibernéticos! Os computadores mataram o rock! A internet acabou com o rock!".

Esperei a ira de Tales arrefecer um pouco. Ele caminhou de volta até onde eu estava, pigarreou umas duas vezes e sentou-se novamente como um iogue, tentando recobrar a calma.

"Você deve se lembrar daquele processo que o Lars Ulrich, do Metallica, moveu contra o Napster. Foi ali que percebi que estávamos todos condenados à ruína. MTV, rádios, gravadoras. Todos caminhando juntos, de mãos dadas, para o abismo. Foi nessa época que comprei meu primeiro revólver."

"Mas as coisas melhoraram muito pra você", eu disse. "Na outra vez em que estive aqui, o teu estúdio estava numa decadência terrível. Rachaduras e infiltrações nas paredes, equipamento velho, cheiro de mofo..."

"Não era o meu estúdio. Era o rock, era o disco, era a música, éramos nós, Teo Zanquis! Desde que as pessoas perceberam que não precisavam mais pagar pelas músicas que quisessem escutar, todos nós começamos a morrer, entende? Como peixes fora d'água."

"Sei."

"Sabe porra nenhuma! Você sabe, por acaso, que o estúdio Abbey Road virou patrimônio histórico britânico?"

"Ouvi dizer."

"Isso é ridículo! Patrimônio histórico? O Abbey Road! Aquela foto dos Beatles atravessando a rua se tornará, com o tempo, uma imagem tão fantástica e desconectada da realidade quanto a do Moisés abrindo os mares. Você já pensou nisso?"

"Não. Nunca pensei nisso. Não costumo pensar no Moisés abrindo os mares."

"Nem eu. Pense então na *Santa Ceia*, do Da Vinci. Conhece?"

"Aquele quadro do *Código Da Vinci*?"

"Peças de museu! Os museus são os mausoléus das artes. Quando uma obra entra num museu, ela está morta, entende?"

Eu entendia. O que eu não conseguia entender era que Tales Banabek se interessasse por arte. Bem, ele conhecia o refrão de "Trevas de luz".

"Chegará o dia em que não pensaremos mais nos Beatles atravessando a Abbey Road, Teo Zanquis!"

"Tudo bem. Espero estar morto até lá. Mas o que aconteceu? O que você fez para sair da lama e reconstruir esse...", olhei para o teto do estúdio, buscando a palavra certa. Senti uma vertigem. Por um momento tive a impressão de que estava no centro da basílica de São Pedro, no Vaticano. Ou no meio do palco do U2.

"... palácio?", concluí, assim que encontrei *le seul mot juste*, como ensina Flaubert.

26.

Tales Banabek contou que os últimos cinco anos foram como um milagre. Tudo começou na época em que eu o vira pela última vez, decadente e deprimido, com dentes acavalados e sujos, tentando acertar um tiro que fosse na latinha de azeite. Uma noite, ao sair do estúdio, parou numa birosca para tomar um conhaque antes de pegar o metrô para casa. Estava bebendo muito na época, e já tinha perdido quase tudo, o carro inclusive — a mira, principalmente —, para pagar dívidas e alguns hábitos dos quais não conseguia prescindir, como cheirar pó, encher a cara, trepar com putas e dar tiros. Na birosca, enquanto degustava uma dose de Fogo Paulista, ele viu Sheila. Ela estava sentada no balcão, de bustiê e shortinho jeans, bebendo uma cerveja. Sheila era uma mulata top de linha — ou pelo menos assim pareceu aos olhos de Tales — e começou a sorrir para ele.

"Me deu mole", explicou.

Sheila realmente era uma mulata escultural, Tales pôde comprovar no dia seguinte, mais sóbrio. Era passista da escola de samba Nenê da Vila Matilde e gostava também de tomar suas cervejinhas de vez em quando. Tales e Sheila começaram a namorar. Tales passou a frequentar a casa de Sheila, na Vila Matilde, onde conheceu — além dos pais e dos numerosos irmãos de Sheila — Shirley, a irmã gêmea de Sheila. Shirley, tão ou mais gostosa que Sheila, era casada com Paulinho do Ó, um pagodeiro oriundo da Freguesia do Ó. Moravam todos juntos na mesma casa — "um cortição do caralho", segundo as palavras de Tales Banabek, o mito.

Com o passar do tempo Tales entendeu que Sheila tinha aspirações a se tornar cantora popular — "uma mistura de Negra Li com Ivete Sangalo", e talvez tenha se aproximado dele com o intuito de se aproveitar de seus conhecimentos e contatos de produtor. Embora longe de qualquer possibilidade de ajudar alguém na época, Tales se fez de bobo, como se não percebesse o real interesse de Sheila, e investiu no relacionamento, pois, segundo ele, "a neguinha me fazia um bem do caralho, tá ligado? Era divertida. E gostosa. E bebia direitinho, a filha da puta".

O namoro de Tales e Sheila foi pautado por bebedeiras, trepadas antológicas, muito ciúme, euforia, depressão e armas de fogo.

"Uma verdadeira doença", definiu a lenda viva.

"Sei."

"Sabe mesmo? Você se lembra que minha mira não era muito boa na época. A da Sheila também não. Principalmente depois que bebíamos cerveja com tequila. Mas nessas horas, quando estávamos doidões, é que curtíamos dar uns pipocos por aí. Um dia, depois de tentar inutilmente acertar a porra da lata de azeite, enlouqueci: apontei a arma contra a minha testa e puxei o gatilho."

Minha cara devia estar bem estranha, pois Tales interrompeu o relato e disse:

"Calma, eu não morri."

"Notei."

"A merda foi que a Sheila começou a rir depois que viu que nada tinha acontecido comigo quando puxei o gatilho. Meu revólver já estava sem munição. Ela riu tanto que eu comecei a rir também. E de repente, sem dizer nada, ela fez o mesmo com o revólver que tinha nas mãos: encostou o cano na têmpora direita e puxou o gatilho. Pou!"

Foi assim que Sheila, a mulata gostosa e desmiolada de Vila Matilde, morreu. Literalmente desmiolada, e da maneira mais estúpida possível. Deu um tiro na própria cabeça numa brincadeira de namorados bêbados brincando de roleta-russa num inofensivo fim de tarde de sábado. Tales Banabek conseguiu escapar de um processo criminal, pois todas as evidências confirmaram que se tratara de um caso simples de suicídio acidental. Mas mergulhou em seguida numa depressão sem precedentes. Passou semanas sem sair de casa, com portas e janelas trancadas, quase sem comer, bebendo eventualmente um pouco de água da torneira.

"Da pia do banheiro", enfatizou o mito. "Pois a cozinha me parecia muito longe."

E então, como num milagre, numa bela manhã, um anjo bundudo apareceu: Shirley, a irmã gêmea de Sheila.

"Foi muito louco", disse Tales. "Alguém passou umas duas horas tocando a campainha até que eu respirei fundo, levantei da cama e decidi atender. Quase morri quando abri a porta, pois tive a impressão de que a Sheila tinha ressuscitado. Mas era a Shirley. E ela estava usando uma minissaia."

Shirley alimentou Tales Banabek com mingau de aveia e canja de galinha. Shirley abriu as janelas e varreu a poeira acumulada no apartamento de Tales. Shirley — ele confessou — deu para Tales quando ele já se sentia melhor e recuperara as forças.

"Eu estava deitado na cama de manhã, olhando um desenho animado do He-man na televisão, e de repente eu vejo a Shirley varrendo o chão. Era um tal de abaixa daqui pra levantar o tapete, ajoelha dali pra empurrar a mesa, e eu comecei a me ligar naquela bunda rebolando pra lá e pra cá. Que bunda, mano. E só com um fiozinho dental escroto cor-de-rosa meio que atochado bem ali, no meio das bochechas carnudas daquele bundão, como um viaduto ligando o rego à zona do agrião."

Tales fez uma pausa. Com um olhar idiota, concluiu: "Rimou".

"Não é incrível?", concordei, tentando não aparentar muito cinismo.

"E a bunda vai, a bunda vem", prosseguiu o bardo do Alto de Pinheiros, "e eu penso: essa filha da puta tá de sacanagem. E o fiozinho dental ali, firme, molhadão de suor e outras secreções típicas da região. Foi quando percebi que tinha voltado a viver."

Então foderam ali mesmo, Shirley de quatro no chão, com a minissaia levantada.

"Cavalguei a neguinha, puxando aquelas trancinhas rasta como se fossem as rédeas de uma égua. A cabeça dela ia pra frente e pra trás, como um ioiô descontrolado. Meti com fio dental e tudo. Esfolei o pau", completou Tales, caprichando na poesia.

Com aquela foda Shirley reconstruiu Tales Banabek, fazendo que ele se sentisse um homem novamente. E por quê? Por que Shirley fizera tudo isso? Apaixonara-se por Tales? Resolvera cuidar dele em memória da irmã? Dera vazão a alguma porção madre Teresa guardada dentro de si?

Nada disso. Explicou Tales Banabek: "A Shirley é uma safada, pior ainda que a Sheila. Ela queria que eu desse uma força na carreira do babaca do marido dela, o pagodeiro Paulinho do Ó. Por gratidão, resolvi ajudá-la. Não sabia ainda que fazendo isso eu estaria ajudando a mim mesmo. Por intermédio do corno pagodeiro, o Paulinho do Ó, conheci outros pagodeiros e o pessoal do samba. Depois vieram as bandas de axé, os cantores sertanejos e, por fim, os afrescalhados roqueiros emo. Graças a todos eles, esses artistas maravilhosos que podem ser acusados de tudo, menos de fazer arte, fiquei rico e recuperei minha integridade".

"Não compreendo. Ao que me consta a crise da indústria do disco é geral. Não afetou apenas o rock, mas todos os tipos de música."

"*Hello!*", ele disse, levantando-se novamente e assumindo aquele ar de psicopata perigoso. "*Hello*, Teo Zanquis!", gritou, com o rosto colado ao meu, num timbre de Max Cavalera. "*Things have changed, my boy!*" Inalei seu hálito de Listerine. "Por onde você andou nos últimos anos? Na cadeia?"

"Mais ou menos isso", eu disse. "PDO."

"PDO?"

"Prisão Domiciliar Opcional. É a última moda entre deprimidos e portadores de fobia social."

Tales Banabek respirou fundo e pigarreou mais algumas vezes. Percebi que era sua técnica para recuperar a calma, provavelmente adquirida em algum curso para executivos estressados à beira da morte. Depois voltou a sentar na posição de lótus e começou a falar de olhos fechados: "O Demônio continua o mesmo. Dante já sabia disso. Só que agora ele mudou de tática. E resolveu me convocar de novo pra jogar no time".

"O Dante Alighieri?"

"O Demônio!"

"Dá pra ser mais claro?"

Tales abriu os olhos: "Quando as gravadoras perceberam que o disco estava com os dias contados, não se conformaram em perder todo aquele tesouro. Almas e almas de músicos sugadas por um século inteiro! Não viveremos sem isso! Resolveram então começar a ganhar sobre aquele que era até hoje o único patrimônio que restara aos músicos: as apresentações ao vivo. Os shows!".

Entendi então que Tales Banabek era agora um megaempresário — especializado num procedimento cada vez mais comum entre as gravadoras hoje em dia, o de empresariar e agenciar seus artistas, além de gravar e divulgar seus discos. O Medeia é uma fábrica que produz em série grupos e artistas de todos os tipos de música pop. Ali também se negociam discos, shows, comerciais e quaisquer outras atividades desses artistas. Trocando em miúdos, os músicos não podem dar uma cagada sem pagar algum tributo a Tales Banabek.

"Antes as gravadoras sugavam só as almas dos músicos", disse Tales, calmo, com um sorriso no rosto. "Agora eu lhes sugo as almas, o sangue, os corpos, a grana e a música."

"E os padres?", perguntei.

"Que padres?"

"Não são padres católicos os cantores que mais vendem CDs e DVDs hoje em dia no Brasil? Você não produz e agencia padres aqui no Medeia?"

Tales pigarreou.

"Os padres. Já gravei alguns padres aqui, sim. O problema é que se espalhou entre eles a crença de que meu estúdio fede a..."

"Enxofre", eu disse.

"Pólvora! Os padres não se sentem à vontade para gravar sabendo que eu estou no estúdio ao lado, dando uns pipocos. Os meninos ficam nervosos. Parece que só se fala nisso no clero. Mas que eu ajudei muitos daqueles pedófilos a cantar, ajudei. Isso eles não podem negar."

"Sei."

"Fodam-se os padres. Não preciso deles. Não teria como negociar missas a empresários do interior. Me vendi ao sistema, é verdade, mas há uma ética. Um limite."

"Qual é o limite?"

"Encontrar alguém no espelho quando olho pra ele."

"Sei."

"Sabe mesmo?"

"Imagino que sim."

"Continuo achando que você não sabe porra nenhuma. É um artista", disse.

"Eu sei que vocês, executivos, acham que sempre têm razão. Como os padres."

"Não me compare aos pedófilos cantores. Sou muito mais que um executivo. Ou um padre. Se quiser, me compare a um cardeal. Mas minha igreja já ruiu há muito tempo, como você sabe. O estúdio de Abbey Road. O Eletric Ladyland. O CBGB. Essas eram as minhas igrejas."

"Nick Hornby, o escritor inglês, diz que os jovens de hoje ouvem Jimi Hendrix como quem lê Flaubert."

"Por que você resolveu falar de Nick Hornby agora, Zanquis? Foda-se o Nick Hornby! O Hendrix é muito mais importante que o Flaubert e o Hornby juntos. Não tente colocar o Hendrix num museu!"

"Eu não estou tentando nada. Foi o Nick Hornby quem disse isso. Ele disse também que daqui a dez anos será difícil fazer dinheiro com livros, com música ou com filmes. Isso pode afetar a qualidade das obras e até mesmo a idade das pessoas que fazem música. A única maneira de ganhar dinheiro com música, para um artista, será fazendo turnês o tempo todo. Estamos fadados a virar uma espécie de artistas de circo."

"Problema teu, Teo Zanquis. Teu e do Bob Dylan. Por favor, não vamos perder tempo falando de Nick Hornby, aquele bobalhão."

"Não entendo que tipo de problema eu poderia dividir com o Bob Dylan."

"The Endless Tour é o nome da excursão que o Dylan vem fazendo há mais ou menos uns duzentos anos. A turnê sem fim! Se a Beat-Kamaiurá ainda existisse, você não estaria aqui agora. Estaria tocando em algum lugar."

"Problema nosso, Tales Banabek. Você provavelmente seria o meu empresário."

"O meu problema já está resolvido. Estou rico e magro. E não contrato músicos com mais de trinta anos. Dão muito trabalho. Os jovens trabalham pra mim. As menininhas dão pra mim. Tudo aqui gira em torno dessa sequência monótona de pronomes: eu, me, mim, comigo. Quem está com cara de problema é você. Parece que engoliu uma interrogação antes de sair de casa. Tá precisando malhar, meu. Dar uma geral, fazer um checkup. Já fez exame de próstata? Já tomou uma dedada?"

"Não", respondi envergonhado. Há anos venho adiando a dedada.

"Cuidado. O Frank Zappa morreu de câncer na próstata."

Ficamos em silêncio por alguns segundos constrangedores. E então Tales se levantou, como que encerrando a conversa.

"E então, Teo Zanquis, o que te traz aqui? Desembucha."

27.

Saí do Medeia pouco depois das dez da noite levando na cintura um revólver Taurus 45. Tales Banabek não quis ouvir minhas explicações sobre por que eu precisava de uma arma. Quando lhe disse que necessitava de um revólver e não sabia a quem recorrer, fez um gesto para que eu me calasse, foi até uma estante *high-tech* de fórmica branca e tirou uma arma de uma caixa de couro. Entregou-me o Taurus com uma expressão grave e não aceitou que eu lhe oferecesse dinheiro pela arma. Disse simplesmente: "Este é o revólver com que a Sheila se matou. Me sinto preparado para isso, depois de tudo que revelei. Estou com o espírito leve, você me fez um grande favor se dispondo a escutar minha história. Nunca tinha contado isso a ninguém. As pessoas não têm mais tempo para ouvir. Só querem falar o tempo todo".

Olhei para o Taurus pousado sobre a palma da minha mão e não soube o que dizer. Aquela era uma situação bastante estranha.

"Leve essa desgraça daqui, por favor", completou Tales, contrito.

Detalhe: me entregou a arma carregada, e ainda me deu uma caixinha de munição extra.

Você já deve estar tendo ideias. Supondo coisas. *O que esse idiota vai fazer com essa arma?* Pois é. Eu também estaria, no seu lugar.

Preciso confessar uma coisa: antes de sair do estúdio, não resisti. No saguão de entrada do Medeia me aproximei da Gioconda do gerúndio e pedi pra dar uma voltinha no computador. Eram tantos, afinal de contas, e acabariam todos inevitavelmente destroçados pelas balas amargas de Tales Banabek, achei que não haveria problema em dar uma conferidinha no conteúdo do cannoli. Eu precisava tentar desvendar aquela charada.

A Garbosa, que digitava as teclas furiosamente — como se disputasse o título mundial de masturbação virtual —, emendou: "Vou estar liberando num instante".

Liberando o quê, meu amor?, perguntei mentalmente, induzido pela cibersiririca que ela parecia bater no teclado. Mas não tive tempo para maiores galanteios. Rápida como uma gazela pragmática, pulou da cadeira e deixou que eu usasse o computador. Antes, concebeu mais uma de suas pérolas gerundiais: "Vou estar dando um tempo na cozinha. Precisando, é só chamar".

Não deu pra entender nicas do conteúdo do cannoli. A maioria dos arquivos eu nem consegui acessar. Os que consegui continham esquemas geométricos, equações matemáticas, números e palavras ininteligíveis em coreano ou termos tediosos em inglês. Linguajar técnico. Tipo: *centronics parallel, IEE-1284--compliant with 1284-B receptacle (Bi-Tronics, ECP, bi-directional)*. Não dá. Nunca suportei manuais. Ô *yakisoba* complicado, esse. Guardei o cannoli no bolso e saí sem me despedir.

28.

Caminhei desorientado pela noite. As opções não eram animadoras. Meu apartamento estava vigiado pelos coreanos e a casa da Lien abrigava o cadáver putrefato de Chang-Ho, o ex-gênio da informática teleguiado por vozes que brotavam de dentro de sua cabeça. Eu simplesmente não tinha aonde ir. Era preciso encontrar a Lien, no entanto. O que teria acontecido com ela? Saberia da morte do irmão? Estaria bem? Morta? Viva? Morta-viva? Ferida? Escondida? Sequestrada? Fugindo? Habitando algum não lugar como aquela ilha da série de TV *Lost*? Por que não entrava em contato comigo? O que continha o cannoli? Era aquilo mesmo que os coreanos buscavam? Por quê? E a dona Yong? O que tinha acontecido com a dona Yong, caralho? Será que o suposto revolucionário *yakisoba* conteria em sua receita algum ingrediente afrodisíaco mais potente que o Viagra e isso despertara a fúria de grandes conglomerados farmacêuticos? Ou teria o provável cibervírus potencial para colapsar todas as estruturas que sustentam nossa sociedade como a conhecemos? E se o cannoli caísse nas mãos da Al Qaeda, o que seria de nós? Como se vê, dúvidas suficientes para me entreter por toda uma aposentadoria.

Ou um livro de quinhentas páginas.

Ou uma condenação de prisão perpétua.

Ou um exílio na praia de Ipanema.

Meu único ponto de contato com a Lien — fora o sobrado no Cambuci em que Chang-Ho jazia no tapete da sala — era a Combat Records. A loja de discos da galeria do rock era meu elo solitário com ela. Deveria haver uma ficha de inscrição de Lien em algum canto da loja. Um número de celular, uma referência de algum outro emprego mofando numa gaveta qualquer, sei lá. Como não tenho relógio, perguntei a um guarda noturno de uma rua residencial do Alto de Pinheiros que horas eram. Quase onze, ele disse. Era improvável que a Combat Records estivese aberta àquela hora da noite, mas eu realmente não tinha aonde ir. Peguei um táxi para o centro. Meu dinheiro já estava como meu cabelo, rareando, e logo chegaria o momento em que teria de pagar corridas de táxi com os dólares guardados no bolso. Cada rock star exerce a excentridade que pode.

29.

A galeria do rock ainda estava aberta, mas as lojas, quase todas fechadas. A Combat Records, adivinhe, estava fechada. Não sou exatamente o que se chama por aí de *um cara de sorte*, você já deve ter percebido. Uma grade corrediça de ferro sorria pra mim. Se fodeu, a grade parecia dizer, sorrindo, se grades falassem ou sorrissem. Pelas pequenas frestas entre as barras de ferro era possível ver a vitrine da Combat Records. Velhos vinis me fitavam, como olhos negros de uma esfinge. Discos de que eu nem me lembrava mais. Vinis que haviam mudado minha vida em diferentes épocas. *Sandinista*, do Clash. *Phisical grafitti*, do Zeppelin. *The blue mask*, do Lou Reed. *All things must pass*, do George Harrison. A *tábua de esmeraldas*, do Jorge Ben. Sim, Jorge Ben. Nunca consegui chamá-lo de Benjor. Comecei a chorar. Não é algo que me aconteça sempre, embora fosse a segunda vez que eu chorava naquela loja enigmática. Eu estava ao mesmo tempo tenso e emocionado. Aqueles discos haviam mudado a minha vida, sim. Mas mudado para quê? Ali estava eu, com o nariz enfiado entre grades, chorando, olhando para os discos que mudaram minha vida. Eu me transformara num fugitivo, sem saber por que motivo estava sendo perseguido, e tinha no bolso uma carteira quase vazia, um maço de dólares que não dariam para comprar uma Fender Stratocaster *made in* Hong Kong, um cannoli que não me dizia respeito e uma caixinha de balas de revólver. Na cintura eu ostentava o Taurus 45 com que Sheila, a passista maluca da Nenê de Vila Matilde, se suicidara acidentalmente. Eu deveria processar as gravadoras daqueles discos por terem mudado a minha vida. Vejam no que me transformei!

A crise existencial não durou muito. Tive a sorte de perceber, lá no fundo do corredor, um coreano se aproximar pela escada rolante. Oba, um pouco de ação para espantar a deprê. Pode ser que o coreano não tivesse nada a ver com a história, mas eu não ia pagar pra ver. Corri para o outro lado. Uma mulher lavava o chão em frente a uma lotérica fechada, e eu perguntei onde era a saída.

"Pela escada rolante, do outro lado", ela respondeu. Era de onde vinha o coreano.

"Não tem outra saída? Eu tenho pânico de escada rolante."

Ela apontou uma porta no fim do corredor: "Saída de emergência".

Desci as escadas pulando de dois em dois degraus até o andar inferior. Saí das galerias caminhando rápido, olhando para trás de vez em quando. Na rua, comecei a correr. Não encontrei nenhum táxi livre no caminho. Táxis livres a qualquer hora só aparecem em filmes americanos e no Rio de Janeiro.

Em poucos minutos eu já estava no Teatro Municipal. E segui correndo. Um PM desavisado que devorava uma coxinha num bar da São Luís deve ter se perguntado por que alguém escolheria aquela hora para treinar para a São Silvestre. Ou deve ter notado, caso fosse um PM observador, que eu era só mais um maluco correndo, fugindo de não sei o quê.

"*You're running and you're running and you're running away*", diz Bob Marley. "*But you can't runaway from yourself.*"

Quando dei por mim, tinha chegado à praça Roosevelt. Exausto.

30.

Não sei se você conhece a praça Roosevelt. Esqueça o conceito clássico de praça: árvores, jardim, banquinhos e até um eventual e bucólico coreto. Pipoqueiros, parquinhos, crianças correndo, algodão-doce. Nada disso. Esqueça também qualquer definição mais abrangente ou etimológica de *praça*: um grande espaço vazio, uma esplanada, um átrio habitado por alegres pombos fotogênicos. Não. Imagine um labirinto escuro de concreto. Isso. Um lugar feio e sujo. Sim, estamos chegando lá.

Entre os acontecimentos que tornaram a praça Roosevelt conhecida está a prisão de um comediante gay argentino que fazia muito sucesso nos anos 80, flagrado exercitando de joelhos a arte milenar do *fellatio* em praça pública. Há também um caso mais recente, um dramaturgo que reagiu a um assalto e foi baleado no abdome. Não por acaso esse dramaturgo mantinha um blog chamado *Atire no Dramaturgo*. Para a sorte de todos nós, artistas incompreendidos, o dramaturgo sobreviveu aos tiros. A praça também. Ali se abrigam sinistras figuras urbanas, incluindo pombos cinzentos que jamais teriam sido escolhidos como o símbolo universal da paz.

 Antes tivesse encontrado uma sinistra figura urbana. Ou um pombo cinzento. Um dramaturgo intrépido, um veado argentino. Um andarilho, um pivete, um morador de rua, um bêbado, um transexual suicida que fosse. O mais bizarro dos seres seria como a Cinderela para mim, naquele momento. Um viciado em crack assumiria a forma de um Bambi dengoso. Quando contornei uma árvore seca, ofegante (eu, não a árvore), acreditando que em dois passos estaria na Augusta — uma rua iluminada e cheia de adoráveis putas, travestis hospitaleiros e cordiais cafiolas —, dei de cara com o coreano.

 Era tudo o que eu não queria ter encontrado.

 O homem era bom em perseguições, devo admitir. E não deu nenhuma risadinha sádica, nem se comportou como um vilão óbvio de filme B. Nem de filme A. Não fez uma cara séria de quem vai começar a recitar um poema de e. e. cummings. Ele simplesmente me disse alguma coisa. Claro que não entendi xongas, já que ele falava coreano ou fosse lá qual fosse aquela língua indecifrável. Há sempre que se considerar a hipótese de que falava uma língua alienígena; afinal, nunca se sabe, do jeito como as coisas andam. Mas havia na entonação da frase um tom interrogativo. Senti que ele me fazia uma pergunta. Pergunta que eu teria o maior prazer em responder, caso entendesse o que ele perguntava. E então o coreano subiu o tom e repetiu a pergunta num registro mais áspero. E — nessa ele se fodeu — cometeu o erro de botar a mão no bolso interno da jaqueta que vestia.

 Não há outra maneira de descrever isto: tirei o revólver do bolso num reflexo impensado e meti chumbo. Devo ter disparado pelo menos uns quatro tiros contra o simpático coreano interrogativo. Não me dei ao trabalho de ver se era mesmo uma arma o que ele guardava na jaqueta. Nem de checar se ele realmente estava morto. O aspecto dele, confesso, não era dos melhores. Eu poderia jurar que o coreano estava morto. E estava mesmo, pra mim. Ponto final.

Guardei o Taurus do Tales (que nome. Perfeito para uma banda meio psicodélica ou um filme pornô gay) no bolso e saí andando.

31.

Hoje, mamãe morreu. Ou talvez ontem, não sei bem. Recebi um telegrama do asilo: "Sua mãe faleceu. Enterro amanhã. Sentidos pêsames". Isso não esclarece nada. Talvez tenha sido ontem.

Te peguei! Pode confessar. Por um momento você achou que eu tinha recebido um telegrama da clínica de repouso me avisando da morte de minha mãe. Errado. Mamãe continua viva — acho que sim, pelo menos — curtindo sua idílica aposentadoria em Alzheimerland, a Flórida dos dementes. O parágrafo acima é a imortal abertura de O *estrangeiro*, de Albert Camus. Agora não vale dizer que você já tinha reconhecido o parágrafo e por um momento pensou que eu tivesse plagiado o Camus. Até que passaria por um parágrafo meu, não? A concisão, o cinismo, a amarga ironia, o completo domínio da narrativa. Ui. Bem, a verdade é que o parágrafo inicial de O *estrangeiro* foi a primeira coisa em que pensei depois que matei o coreano na praça Roosevelt. E não imagine que me orgulho disso.

Convenhamos, matar alguém não é uma coisa fácil. Mesmo que o coreano não estivesse morto, ele estava. Deu pra entender? Gostaria de ter caído de joelhos ali, naquele canto escuro da praça, e ter chorado por três noites e três dias seguidos até minhas lágrimas inundarem todo o vale do Anhangabaú. Gostaria que investigadores da Delegacia de Homicídios tivessem me algemado depois de lerem para mim em voz alta o *Tao Te King*, de Lao Tsé. Gostaria que, naquele exato momento em que os investigadores me levassem preso após a leitura do *Tao Te King*, uma praga bíblica tomasse forma e bilhões de gafanhotos invadissem a cidade e eu me ajoelhasse arrependido, orando em aramaico. Gostaria que o assassinato do coreano me transformasse numa celebridade e que eu fosse condenado a trinta anos de prisão e escrevesse um livro de memórias na cadeia e fosse libertado por bom comportamento depois de cumprir um sexto da pena. Gostaria de não usar vírgulas nesse livro e que isso fosse considerado uma sacada genial *à la* James Joyce. Gostaria que, depois de solto, meu livro se transformasse num grande sucesso mundial e eu comprasse um apartamento em Paris para viver o resto dos meus dias a flanar pela cidade-luz em busca de fantasmas literários. Gostaria de me arrepender, de chorar, de gritar, de correr, de aprender a usar vírgulas, traços, aspas, crase e parênteses corretamente. Mas não foi nada disso que aconteceu. Saí andando pela rua e segui com os delírios literários. Fiquei repetindo mentalmente o primeiro parágrafo de *O estrangeiro* por muito tempo. *Hoje mamãe morreu. Ou talvez ontem, não sei bem. Hoje mamãe morreu. Ou talvez ontem, não sei bem. Hoje mamãe morreu.* Que coisa ridícula. Insanidade completa. Depois comecei a pensar no Francis Macomber. A essa altura eu já estava me aproximando da marginal do rio Pinheiros.

"A vida breve e feliz de Francis Macomber" é um dos melhores contos do Ernest Hemingway. Resumo rápido, pois como ouvi alguém dizer outro dia, o tempo *ruge*: Francis Macomber é um covarde em safári pela África, que se amedronta diante de um leão e não consegue matá-lo, paralisado pelo medo. Com isso Macomber perde de vez o crédito com a mulher e um caçador inglês que o acompanham. À noite, a mulher de Francis — a cruel Margot Macomber — trai o marido com o caçador, como para castigá-lo pela covardia. Mas no dia seguinte, algo acontece com Francis Macomber: ele consegue matar um búfalo, e isso o faz perder todos os medos e recuperar a autoestima. O golpe é muito forte para Margot, que, não suportando a felicidade de Francis, o mata com um tiro.

Você dirá: e aí? E o cu com as calças? Também não sei explicar. Mas eu não estava sentindo nada de ruim a respeito de ter matado um coreano. Só uma excitação estranha, um aumento de batimentos cardíacos, como o que senti quando bebi muitos *espressos* numa noite em que zanzava por Seattle em busca do túmulo de Jimi Hendrix.

Quase — veja bem, estou dizendo *quase* — uma forma estranha de plenitude.

Cheguei à marginal do Pinheiros num ponto próximo ao Shopping Eldorado. Atravessei as pistas da avenida desviando dos carros, o movimento é muito intenso por ali. Se fosse dia, não conseguiria atravessar. Ainda que o trânsito estivesse parado por obra de algum congestionamento, provavelmente eu seria atropelado por um motoboy, o que não seria uma morte de todo inglória para um guitarrista.

Um grande guitarrista do rock brasileiro morreu assim.

Arremessei às águas tristes do Pinheiros o Taurus 45 responsável pela morte de Sheila, a passista maluca, e pela muito provável morte do coreano anônimo. Lancei igualmente ao fluxo do agonizante rio a caixinha de munição que não precisei usar.

Tchékhov me repreenderia: *se não ia usar, pra que citar?* Foda-se Tchékhov. Foda-se Schopenhauer também. Pentelhos. Posso escrever um pouco por conta própria, só pra variar? Obrigado.

Imagino que com o teor corrosivo da poluição do rio, a prova do meu crime nunca será encontrada. Minhas impressões digitais ainda devem estar impregnadas na maçaneta da porta e em boa parte da mobília da casa da Lien, mas isso não prova nada. Pense na quantidade de lugares em que você deixa suas impressões digitais registradas. O que isso prova, além do fato de que você esteve ali?

32.

Os acontecimentos, embora recentes, estão um pouco embaralhados em minha memória. Aquela que já reservou bilhetes só de ida para uma futura estada paradisíaca em Brumas de Alzheimer. Vaguei pela rua por um tempo durante a madrugada. Não me assustei ao ver um carro da polícia se aproximar enquanto eu perambulava pela Rebouças. Os policiais também não se importaram comigo. Olharam para mim e continuaram andando. Não me pareço com um assassino, definitivamente. Falta-me *pathos*, diria Gina, a ninfo.

Amanhecia quando me lembrei de pegar na carteira o cartão da conta conjunta que mantenho com mamãe. Constatei *en passant* que o cannoli e os dólares continuavam nos bolsos.

Retirei oitocentos reais num caixa Bradesco. Sobrou pouca coisa na conta. Fui de metrô até a rodoviária e decidi pegar um ônibus para o Rio de Janeiro.

Por que o Rio?

Por que *não* o Rio? É aqui que vivem todas as estrelas.

* * *

Não foi só isso.

O Rio foi escolhido como destino da minha fuga por vários motivos. Tentarei ser rápido para não quebrar o ritmo eletrizante que nosso diálogo interior adquiriu nas últimas páginas. Enquanto eu estava parado na rodoviária, meio abobalhado, olhando os infindáveis guichês de venda de passagens, muitas imagens e questionamentos me vieram à mente e ao espírito. Um dos guichês anunciava como destino Cachoeiro do Itapemirim, no Espírito Santo. O.k., pensemos em Cachoeiro do Itapemirim. O que nos vem à lembrança? O *flamboyant* florido na primavera (que bonito que ele era), Rubem Braga — o cronista dos cronistas — e Roberto Carlos, o grande cantor, nosso Sinatra misturado com Paul McCartney temperado com pitadas de Julio Iglesias. E para onde foram Rubinho e Robertinho quando resolveram abandonar as margens do Itapemirim e rumar ao encontro de seus destinos? Para o Rio. O *flamboyant* nunca pôde ir a lugar nenhum.

Outro guichê anunciava passagens para Juazeiro, na Bahia. Um guichê ou um clichê? Preciso dizer quem me veio à cabeça? João Gilberto, o grande obcecado, sumo sacerdote dos parafusos soltos, excepcional violonista e cantor, embora um tanto quanto monótono para o meu gosto. E para onde foi o jovem Johnny quando resolveu dizer adeus a Juazeiro?

Rio.

Precisa mais? Precisa. O mesmo guichê que oferecia passagens para Juazeiro prometia também o maior conforto na viagem de leito até Salvador. Salvador? Raul Seixas. Esqueça Jorge Amado e Dorival Caymmi. Pense rock: para um roqueiro brasileiro Salvador será sempre Tupelo, a terra natal do profeta Raul. Poderia citar Camisa de Vênus e Pitty, por exemplo, mas ali, na rodoviária, pensei em Raul Seixas. Para onde foi o franzino Raulzito fundar sua Sociedade da Grã-Ordem Kavernista em busca do leite e do mel de seu rock and roll? Você já sabe. E Kleiton e Kledyr? No que pensavam os irmãos pelotenses quando embarcaram no *busum* mágico rumo ao Rio de Janeiro? No sucesso? Na fama? Na glória? Nas mulheres? No dinheiro? Na posteridade?

Escolha à vontade ou sugira uma opção de sua preferência.

Pode parecer que minha decisão de vir ao Rio em fuga de meus demônios coreanos já está justificada. Não está. Necessito falar mais um pouco sobre meus delírios naquela manhã no terminal rodoviário do Tietê: Ronald Biggs. Sim, ele mesmo, o larápio dos larápios, o grande esteta da picaretagem. Um filme me impressionou bastante no início dos anos 80, *The great rock'n'roll swindle*, do Julian Temple. Temple, não bastasse ser filho da Shirley Temple, a menina-prodígio de Hollywood, é também um grande cineasta e excelente diretor de videoclips. Sim, houve uma época em que havia videoclips. Julian Temple dirigiu esse documentário com os Sex Pistols, que mostrava os punks ingleses viajando pelo mundo atrás de grandes picaretas e célebres golpistas ingleses, como, aliás, os próprios Pistols gostavam de ser vistos. No Rio os Pistols foram ciceroneados por Ronald Biggs, o famoso assaltante do trem pagador de Londres que em 1970 se refugiou na Cidade Maravilhosa e aqui virou uma figura folclórica e turística. Essa história de bandidos fugirem para o Rio é bem antiga e explorada pelo cinema e pela literatura. Não é por acaso que qualquer roteirista, dramaturgo ou escritor sempre pensa no Rio como o refúgio paradisíaco de criminosos bem ou malsucedidos. Fictícios ou não.

33.

Houve um outro motivo para eu me decidir pelo Rio como ponto final de minha saga: a aventura que compartilhei com Tom Dedalus, vocalista da banda irlandesa The Fancy Intruders. É uma história longa, acho que não terei oportunidade de contá-la em outra ocasião. Uma noite nos anos 80 fui parar no lendário estúdio Nas Nuvens, no Rio de Janeiro. Havia gravado um *playback* com minha banda à tarde, num programa de auditório cujo nome já é cinza em minha memória. Lá ficamos sabendo de uma festinha que aconteceria logo mais, à noite, no estúdio, onde bandas de rock e artistas do primeiro time gravavam seus discos. Uma daquelas bandas — uma das grandes, não lembro qual exatamente, eram todas parecidas — estaria apresentando seu novo disco a amigos, músicos e gente da indústria. Não sei que disco era, nunca fui muito ligado em rock brasileiro, principalmente o rock brasileiro dos 80. Argh! Mas como a festa prometia ser boa, e haveria com certeza algumas bucetas e muito pó envolvidos, cogitamos oferecer à tal banda — embora não tivéssemos sido convidados — a honra de receber a Beat-Kamaiurá no morro sinuoso em que se erguia o Nas Nuvens.

Mas ao cair da noite meus companheiros se dispersaram, alguns ficaram se drogando no hotel, outros foram se drogar no Crepúsculo de Cubatão, uma casa noturna de nome impecável, e acabou sobrando pra mim a tarefa de — além de me drogar, é claro — oferecer aos convivas do Nas Nuvens a honra de receber um membro que fosse da Beat-Kamaiurá.

Galguei os íngremes degraus que conduziam ao estúdio cantarolando "Stairway to heaven". Foi um *private joke*, que teria me feito sorrir não estivesse eu ofegante pelo esforço de subir aquela escadaria interminável. Para fazer sucesso, naquela época, uma banda tinha de penar muito. Hoje em dia, nem penando. Ao adentrar o Nas Nuvens me deparei com uma festa transcendente. E com um zoológico bem diversificado. Figuras míticas da música brasileira se aglomeravam pelos corredores do estúdio numa gritaria efervescente, como estudantes gazeteiros na hora do recreio. Ali estavam Jorge Ben, Luiz Melodia e outros músicos de MPB de que eu não sabia o nome. Todas as infames bandas cariocas que faziam sucesso na época também estavam lá. Cantoras sapatas. Atrizes de novela. O nariz de um beduíno cabeludo despontava de um grupo de cariocas dark. Filas gigantescas nos banheiros. Charly García, o roqueiro argentino, aguardava com impaciência portenha numa das filas. Lulu Santos gargalhava de alguma coisa que Nelson Motta lhe sussurrava aos ouvidos. Um crítico famoso — tão famoso que não lembro o nome — parecia sofrer um ataque epiléptico ao lado do console da mesa de som, mas acho que estava só dançando mesmo, pois todo mundo encarou aqueles requebros da maneira mais natural possível, apesar da espuma branca que lhe escorria pela boca. Gregório Appi, o velho carcamano que comandava gravadoras brasileiras desde os tempos da bossa nova, conversava com um cachorro boxer. Não me pergunte o que um cachorro boxer fazia num estúdio de música, ainda mais conversando com um alto executivo da indústria do disco. Talvez fosse a mais recente contratação da Sony, multinacional que Appi presidia na época. Que Gregório Appi estivesse conversando com um cão, tudo bem. Empresários do disco sempre foram capazes de coisas inacreditáveis. Ainda mais alguém como Appi, que segundo a lenda desembarcou por acaso no Rio ainda na década de 40, viajando como clandestino no porão de um cargueiro proveniente de Gênova, fugindo de um cafetão que o jurara de morte (e prometera arrancar-lhe os bagos à unha) depois de descobrir que Appi engravidara uma de suas putas — uma menina búlgara — e planejava escapar com ela para as montanhas Bálcãs. Cazuza gritava num canto. Renato Russo tentava enforcar um dos Titãs, mas todos estavam rindo daquilo, o que me fez concluir que se tratava de alguma brincadeirinha interna de roqueiros bem-sucedidos. Ninguém tentou me enforcar. Eu já estava começando a pensar em me mandar dali quando o gringo magro e alto com um cabelo que parecia uma árvore de Natal com folhas negras me abordou.

"*Have some coke?*"

Era Tom Dedalus, vocalista do Fancy Intruders. A banda irlandesa fazia shows no Rio e alguns de seus integrantes tinham ido parar ali, provavelmente em busca de pó. Como eu. Roqueiros são tão previsíveis. Descartada a possibilidade de Dedalus ter me confundido com um garçom e estar me pedindo um copo de Coca-Cola, presumi que o irlandês com cabelo de capacete de guarda real britânico me reconheceu como um cheirador. Não estava de todo errado. Os iguais sempre se identificam. Mas eu não tinha pó ali, naquele momento. Saí da festa com Dedalus e compramos alguns sacolés de um traficante que se passava por vendedor de flores num restaurante do Baixo Leblon, o Real Astoria. Dedalus, um roqueiro infinitamente mais bem-sucedido que eu, obviamente se encarregou de pagar pela mercadoria. Em dólares. Cheiramos a noite toda, alternando idas ao banheiro do Real Astoria de dez em dez minutos. Numa das vezes em que voltava do banheiro pensei ter visto Tom Jobim tocando piano. O maestro vestia um chapéu de palha e baforava um charuto. Pode ser que ele estivesse ali, mas não duvido de que essa lembrança seja só mais uma das brincadeirinhas espirituosas com que minha memória gosta de me surpreender de vez em quando. Eu e Dedalus conversamos sobre muitos assuntos. Não lembro sequer de uma frase. Talvez o fato de eu não falar inglês explique o fato. Tive a impressão de que Dedalus dizia alguma coisa sobre uma guerra nuclear. Naquela época era moda ter medo de que o mundo acabasse numa explosão nuclear. Hoje temos o aquecimento global como substituto da paranoia nuclear. Não sei se Dedalus era veado, mas não se interessou por nenhuma das fãs que nos abordaram durante a noite. Eu também não, para ser sincero. Ele insistia em afirmar — ou pelo menos me pareceu assim — que nós, brasileiros, é que éramos felizes, pois tínhamos um mundo a construir. Eles, os europeus, viviam num mundo morto. Há controvérsias. Lembro também que ele reclamou muito do Bono Vox. Chamava-o de anãozinho. *The little dwarf*, rosnava. Dedalus ficava muito nervoso quando falava do Bono, acusando-o de oportunista messiânico com pretensões a conquistar o mundo e tornar-se uma espécie de papa roqueiro. Juro que foi isso mesmo que ele disse. *A kind of a rocker Pope*. Tinha uma inveja danada do Bono, o Dedalus. De manhã ele me pediu que o conduzisse por um tour pelo Rio. Não adiantou eu dizer — no meu inglês surrealista — que ele provavelmente conhecia o Rio melhor que eu, já que como um paulistano autêntico eu tinha uma tremenda inveja dos cariocas e fazia questão de ignorá-los e desdenhar de sua Cidade Maravilhosa. Dedalus não se convenceu. Provavelmente não entendeu uma vírgula do meu inglês. Ele me falou de cartões-postais de praias cariocas que o embeveciam na infância em Dublin e da brisa marítima que o inundou como sopro divino ao desembarcar no aeroporto. Nesse momento tive certeza de que ele era boiola e voltei a dizer que eu não era o guia turístico mais indicado no momento. Mas Dedalus insistiu e eu decidi então que o levaria para onde?

Para onde você levaria alguém que quisesse conhecer o Rio?

Claro, ao Corcovado, apreciar a paisagem aos pés do Cristo Redentor. Entramos num táxi ali na Ataulfo de Paiva e tocamos para o Corcovado. No caminho ficamos extasiados com a visão da cidade. O Rio visto de cima é uma incontestável epifania. Em algum momento do trajeto prometi a mim mesmo que ainda me mudaria para a Cidade Maravilhosa. E cheirei mais um pouco do pó sem me preocupar com o motorista de táxi. Dedalus, àquela altura petrificado pelo efeito da cocaína, se limitava a olhar para trás o tempo todo como se acometido de alguma paranoia. Bastou eu dizer "relax" para que um carro da polícia civil se pusesse na frente do táxi, obrigando o motorista a parar. Apontaram-nos armas, gritaram, mas tudo se resolveu quando Dedalus desembolsou alguns milhares de dólares e os entregou aos policiais e ao taxista, que nos largou ali na estrada do Corcovado. Eu e Dedalus concluímos a pé o resto do trajeto até o alto do morro. Melancólicos, observamos a cidade sob a proteção empedernida do Cristo Redentor. E pensei de novo, como quem faz uma promessa a si mesmo: ainda vou morar no Rio de Janeiro. Se sobreviver à balada, claro. Dedalus não disse nada. Estava travado demais para dizer qualquer coisa.

34.

Depois daquela noite alucinada há alguns dias — em que matei um coreano na praça Roosevelt e me livrei da arma do crime no rio Pinheiros —, cheguei ao Terminal Rodoviário do Tietê de manhã e comprei uma passagem de leito para o Rio.
Dormi durante toda a viagem, exausto.
Os acontecimentos não me afetaram como deveriam. Passo os dias na praia, deitado com o rosto afundado na areia, aguardando os acontecimentos. Apelo ao velho clichê budista: vivo o momento. Chego aqui todo dia bem cedinho, antes de o sol raiar, trazendo uma sacolinha plástica com o cannoli e os dólares. Você não achou que eu ia deixar o cannoli e a grana no hostal, achou? Estamos no Rio! Cubro a sacolinha com uma toalha, para não atrair a cobiça dos assaltantes, e deixo o tempo passar. Não li nada na internet nem nos jornais sobre o assassinato do coreano na praça Roosevelt. É algo que não chamou a atenção da mídia, como tudo que fiz nos últimos trinta anos. Pode ser que ele não tenha morrido, e essa ideia não é exatamente confortável, já que evidencia, mais uma vez, um fracasso meu. Também não

encontrei nenhuma notícia sobre uma tentativa de assassinato na praça Rossevelt ou a descoberta de um cadáver numa casa no Cambuci. A essa altura dos acontecimentos, só uma espécie de glória pessoal me interessa. Albert Camus dizia que o suicídio é a grande questão filosófica de nosso tempo. Segundo ele, decidir se a vida merece ou não ser vivida é responder a uma pergunta fundamental da filosofia. Assim, o provável homicídio por mim cometido ocuparia qual estante? A dos feitos corriqueiros? Ou haverá algum heroísmo na minha atitude? Alguma importância filosófica em matar alguém? Uma tendência neoexistencialista? Ou tudo se resumirá a um simples e esquecível caso de legítima defesa? Ou pior, um homicídio arquivado por falta de pistas?

"Pare de tentar dar um cunho filosófico às suas divagações pueris!", diria tia Gina, a ninfo. "Você não tem *pathos*!"

Nem patos, nem gansos, nem galinhas. Sou um ex-guitarrista de rock, não um aviário!

Hospedei-me no hostal como Teo Ramone, caso meu nome entre numa lista de procurados pela polícia, o que acho improvável.

Obrigado, Paul MacCartney.

E a Lien?

Me preocupo com isso. É a única coisa com que me preocupo de verdade.

Cadê a Lien?

Me transformei numa Penélope invertida, um traveco literário, a esperar Lien — meu Ulisses — na praia de Ipanema. Sim, até pouco tempo eu ainda tinha esperança de que os coreanos me contatassem de repente, pedindo o cannoli em troca da Lien. É por isso que tentei não me separar do cannoli em nenhum momento. Tinha consciência de que ele poderia significar também o *meu* resgate. É que me deu uma vontade meio boba de voltar a compor umas coisas. Canções que falassem do meu momento, da minha visão desiludida de velho roqueiro existencialista amargurado. Quem sabe não daria certo? A Lien podia levar umas roupas lá pro *miniloft*. Ou melhor, eu poderia alugar uma casinha na Vila Madalena. Casa com quintal, armário, relógio de luz e quarto de empregada, onde eu poderia montar um estudiozinho. Pensei em ter um cachorro de novo. Fazer uma horta, plantar manjericão, preparar espaguete *al dente*. Não estou dizendo que casaria e tudo mais, mas comecei a me sentir apto a encarar umas calcinhas molhadas penduradas na torneira do chuveiro.

É possível recobrar a inocência perdida?

Acho que você entende aonde estou querendo chegar. É duro, eu sei. Talvez você já tenha percebido, pode confessar. Eu mesmo só fui notando aos poucos, mas não tive coragem de falar sobre isso antes. É difícil. Sacanagem. Tentarei não parecer sentimental demais. Nem excessivamente frio e impessoal.

Vamos ser racionais e encarar o fato: estou morto.

Talvez não esteja morto ainda, mas vou morrer a qualquer momento. Não consigo me mexer. Mas me lembro agora com clareza do que aconteceu hoje de manhã, antes que o dia nascesse. O evento que desencadeou essa situação bizarra que estou vivendo agora. Cheguei bem cedo à praia, como tenho feito todos esses dias, e fiquei olhando o mar agitado. Ventava muito e as ondas quebravam com força, fazendo barulho e espalhando uma espuma branca pela areia. Fiquei observando o movimento das ondas enquanto pensava no cannoli, na Lien, na vida, em tudo isso enfim com que você conviveu bravamente nos últimos tempos. Obrigado, aliás. Agradeço a companhia e, sobretudo, a paciência. De repente um sujeito se aproxima sorrateiro, só de bermudão, e tenta levar a sacolinha plástica em que guardo o cannoli e os dólares, mal escondida sob a toalha do hostal. Reajo, claro. Puxo a sacoleta da mão dele, porra, o cannoli e os dólares são tudo o que eu tenho na vida. Minha chance de um renascimento, meu pote de ouro enterrado sob o arco--íris! Naquela sacolinha se escondia — percebo agora — o meu rock'n'roll. Daí o sujeito saca um berro da bermuda e me dá um tiro na testa, numa ao mesmo tempo irônica e amarga simetria do destino. Matei um coreano, agora sou morto por um carioca. Um a um. O ruído do disparo é encoberto pelo barulho das ondas. Não há ninguém por perto. Enquanto o ladrão se afasta rapidamente pela areia levando na mão o saquinho plástico com a minha fortuna, eu caio com o rosto dentro do buraco e ali permaneço por todo o dia. O sangue que escorre do meu ferimento na testa é absorvido pela areia. Aos olhos dos banhistas que chegam mais tarde, sou só mais um turista esparramado na praia de Ipanema. Só mesmo o velho Teo Zanquis para confundir um último suspiro com uma ótima soneca. Uma agonia com uma alegria. Um coma com uma cama. Um drama com um *dream*. Um carma com uma canga. Um pipoco com uma pipoca. É a minha cara morrer desse jeito idiota. A maldição de Brás Cubas. Logo eu, que não me ligo em literatura brasileira. Literatura, rá, rá. De repente, tudo deixou de fazer sentido: as motivações, os destinos, o conteúdo, a mensagem. A questão das bocetas. O segredo do cannoli. A solução do enigma. A resolução da trama. A linguagem. Toda essa lenga-lenga tipo David Copperfield — o personagem de Charles Dickens, não o mágico de Las Vegas. Ai, que preguiça. Logo agora que eu estava cogitando voltar a tocar algumas coisas na Isabel, cultivar alecrim, convidar a Lien pra comer peixe assado no sal grosso e deixar umas roupas lá em casa, sabe como é? Os críticos mais mordazes dirão que morri na praia. E não estarão mentindo. O mais provável é que não digam nada. Também não estarão mentindo. A essa altura o ladrão já deve ter atirado o cannoli num bueiro, e a qualquer momento o enigmático pen-drive será devorado por um peixe, que será devorado por outro, e por outro, e outro, e assim por diante até o dia em que for encontrado por um pescador coreano nas entranhas viscosas de um tubarão numa remota praia da ilha de Chesu. O pescador olhará intrigado para aquele pequeno objeto já bastante carcomido por tanto sal e diferentes sucos gástricos e atirará o pen-drive de volta ao mar. Depois o pescador retornará para casa, onde sua mulher prepara um fumegante *yakisoba* que será em seguida desgustado com apetite durante a refeição em que ele comentará com os filhos sobre o estranho objeto encontrado nas vísceras do tubarão. O pescador falará sobre a inutilidade daquele artefato e todos prestarão atenção quando ele dissertar sobre as dificuldades enfrentadas de madrugada por conta de um nevoeiro incomum para aquela época do ano. Então o pescador deitará numa cama quentinha e dormirá profundamente, mergulhado num sono distante escuro e ancestral que trará lembranças cinzentas e visões de paisagens marítimas, ilhas de pedra circundadas por brumas geladas e imagens assustadoras de tempestades e monstros marinhos se debatendo em mar revolto sob a força devastadora de um tufão que provocará ondas gigantes que não dissiparão, quando o pescador despertar, o medo, o assombro e a sensação de que o pesadelo ainda não chegou ao fim.

ESTA OBRA FOI COMPOSTA PELO GRUPO DE CRIAÇÃO EM ELECTRA E
IMPRESSA PELA GEOGRÁFICA EM OFSETE SOBRE PAPEL PÓLEN SOFT
DA SUZANO PAPEL E CELULOSE PARA A EDITORA SCHWARCZ
EM SETEMBRO DE 2010